LES CATHARES,
UNE ÉGLISE CHRÉTIENNE AU BÛCHER

ANNE BRENON

LES ESSENTIELS MILAN

Sommaire

Les mots suivis d'un astérisque (*) sont expliqués dans le glossaire.

sous forme d'hérétiques* aux quatre coins de la chrétienté, ils assurent le service divin de la prière permanente. Et élaborent la vision manichéenne* d'un monde déchiré entre les forces antagonistes du bien et du mal, symbolisées par l'archange et le dragon.

La Paix de Dieu

Les violences dénoncées par les moines sont aussi le fait de ces combattants à cheval qui terrorisent les campagnes et spolient les églises : il s'agit des chevaliers que, peu à peu, l'Église parviendra à mettre au service de Dieu, par l'ordre de chevalerie chrétienne puis par l'esprit de croisade (*voir* pp. 12-13). Avant et après l'an mil, sous l'impulsion de grands prélats et sous le regard de statues de saints promenées en grande pompe, de vastes assemblées de Paix tentent d'imposer à la bouillante aristocratie militaire un certain frein à sa violence : quelques jours par semaine de Paix de Dieu ou de Trêve de Dieu pour le bénéfice du peuple et du clergé.
Et pourtant, devant ces liturgies-spectacles, une certaine contestation se développe, au nom des idéaux de l'Église des Apôtres.

Les réformateurs

Une volonté de réforme est discernable très tôt au sein de l'Église, portée d'abord par une partie de l'élite clunisienne (Bénédictins), avant d'être prise en charge par la papauté.
Le ferment populaire y est visible. On dénonce la corruption, la licence dans lesquelles se vautrent les prélats, on met en avant les idéaux évangéliques d'austérité et de pureté des mœurs, on ridiculise le culte des reliques, les châsses brillantes de pierreries et les chasubles d'or.
Il n'est pas impossible que les plus absolus des réformateurs aient prêté leur visage aux hérétiques que dénoncent les textes.

Les *scriptoria*
Dans ces ateliers d'écriture des abbayes de l'an mil, des moines recopient maints manuscrits des commentaires de l'Apocalypse, enluminés du combat de l'archange et du dragon sous les murs de la Jérusalem céleste.

C'est vers l'an mil que le diable prend corps dans les fantasmes chrétiens. L'Église, seule force stable dans un monde qui bouge, essaie de limiter les violences et de canaliser les ferveurs. Mais le peuple chrétien, devant les débordements de la liturgie-spectacle, reste sur sa faim.

L'an mil (2) : les hérétiques

Près de sept cents ans après le supplice de Priscillien d'Avila en 384, le premier bûcher d'hérétiques du Moyen Âge chrétien flambe à Orléans en 1022, emportant douze chanoines de la cathédrale. Ce sont peut-être les premiers cathares...

Contre le baptême dans l'eau
Les bourgeois d'Arras, traduits en justice pour hérésie devant l'évêque Gérard de Cambrai en 1025, expliquent leur rejet du baptême dans l'eau par l'indignité des prêtres qui l'administrent, par l'impossibilité sans mensonge d'un engagement à ne plus pécher, et enfin par l'incapacité des petits enfants à discerner le bien du mal.

Anticléricalisme populaire

Les moines de l'époque rédigent des chroniques, pour illustrer la majesté des statues des saints promenées parmi la foule ou le pouvoir des reliques drainant les ferveurs vers les basiliques. Ces écrits livrent des échappées sur une véritable contestation populaire, railleuse et frondeuse. Les hérétiques*, dénoncés par les moines, sont peut-être d'abord ceux qui tournent en dérision les pratiques « superstitieuses » de l'Église.

Pour l'Évangile

Cette contestation ne se fait pas au titre de la liberté de conscience ou de pensée, notions inconnues au Moyen Âge, mais au nom de l'Évangile. On oppose les pratiques des clercs et prélats de ce temps – richesse, goût du pouvoir, immoralité et superstition – à la voie des Apôtres – pauvreté, chasteté, charité, justice et vérité. On réclame un retour aux idéaux de l'Église primitive, une restauration de l'Église du Christ. Réformateurs et hérétiques s'élèvent d'un même mouvement, d'une même exigence spirituelle et sociale.

Contre les sacrements

On dénonce pourtant comme hérétiques ceux qui minent les bases de l'Église romaine en refusant, au nom des seules Écritures du Nouveau Testament, de reconnaître l'apport des Pères* et des conciles*, postérieurs au Christ et aux Apôtres. Les hérétiques du XIe siècle vont même jusqu'à rejeter comme non apostoliques* les sacrements du baptême aux petits enfants, de la pénitence (instituée par les Carolingiens) ou du mariage, que justement la papauté met alors en place (*voir* pp. 12-13). Mettant en doute la validité des sacrements conférés par les mains indignes de prêtres corrompus et la légitimité de la hiérarchie de l'Église romaine, ils rejettent le culte de la Croix qu'ils assimilent à un instrument de supplice.

Une hérésie savante

À côté d'une revendication populaire, une réflexion théologique savante se trouve à la base de la contestation. On voit ainsi les hérétiques – à Orléans, en Périgord, en Lombardie – refuser toute valeur à l'eucharistie*, pierre angulaire du christianisme catholique, au profit d'un simple partage de pain bénit, pour la raison que le Christ, personnage exclusivement divin, n'aurait eu ni chair ni sang. Les chanoines brûlés à Orléans, mais aussi tels paysans champenois, pratiquaient en outre, pour sauver les âmes, un baptême du Saint-Esprit par l'imposition des mains. Tous ces détails très précis montrent qu'au moins certains parmi les hérétiques du XIe siècle peuvent être considérés comme les précurseurs du catharisme. On parle à ce sujet de pré-catharisme.

À la pointe des mouvements de réforme spirituelle du XIe siècle, des hérétiques sont dénoncés pour leur évangélisme exacerbé, leur refus de l'eucharistie et de la nature humaine du Christ. Comme ils pratiquent en outre un baptême par imposition des mains, caractéristique des cathares, il est permis de voir en eux des pré-cathares.

Une papauté conquérante

« *Dieu le veut !* », crient les croisés de Terre sainte en 1096. « *Dieu reconnaîtra les siens !* », répond en écho la croisade contre les albigeois en 1209. L'Église a légitimé au nom du Christ la guerre sainte contre infidèles et hérétiques.

La réforme grégorienne et le clergé

Au milieu du XIe siècle, la papauté vient de se libérer de la tutelle des empereurs germaniques. Elle prend alors en mains la réforme de l'Église, non sans s'appuyer parfois sur la contestation populaire contre l'immoralité des prélats : évêques, chanoines vivent en grands seigneurs parmi les grands seigneurs et se livrent au trafic des charges ecclésiastiques (ils achètent leur nomination). Une règle leur est imposée : c'est la réforme grégorienne, du nom de Grégoire VII, pape de 1073 à 1085. Répondant partiellement aux attentes du peuple chrétien, ce mouvement voit la création d'ordres monastiques rigoureux, comme celui des Cisterciens*.

La réforme grégorienne et les pouvoirs laïcs

Cette réforme morale réorganisant l'Église est en fait, aux yeux du pape, le moyen de libérer son pouvoir spirituel de tous les empiétements laïcs, afin de mieux affirmer sa prééminence sur la sphère du politique. C'est dans cette même logique que le mariage est institué comme un septième sacrement, pour réguler et sacraliser les pratiques des fidèles, humbles ou princes. Le mariage chrétien comme le culte de Marie tendent aussi à entrouvrir aux femmes une voie vers le salut éternel.

Les liens sacrés du mariage...
La réforme grégorienne impose aux laïcs le mariage, sous forme de sacrement, désormais indissoluble et fondé sur le consentement mutuel. Dans le même temps, elle l'interdit aux clercs. Il faut rappeler que les curés de l'an mil étaient assez communément mariés.

Les trois ordres

Dans la chrétienté ordonnée à l'image de la cité de Dieu, sous la direction du pape, son vicaire sur terre, s'élabore alors ce qui sera la clef de voûte de la société jusqu'à la Révolution française, à savoir l'idéologie des trois ordres, voulus par Dieu en ce monde. Y figurent « ceux qui travaillent » : la grande multitude des laboureurs à qui est assigné le rôle de nourrir l'ensemble de la population et de faire son salut dans le mariage chrétien ; « ceux qui combattent » : nobles et souverains dont la fonction doit être de protéger et non de meurtrir aveuglément ; enfin « ceux qui prient » pour tous les autres : moines et clercs formant les bataillons du pape. De leur bonne complémentarité dépend la paix de la cité de Dieu, assiégée par les hérétiques et les infidèles.

L'esprit de croisade

C'est toujours selon le schéma du combat de l'archange contre le dragon (*voir* pp. 8-9) que la papauté réformatrice de Rome met en œuvre les moyens de s'assurer la direction du monde chrétien. Le schisme de 1053 la coupe de la chrétienté grecque ou orthodoxe* et de son patriarche de Constantinople. Mais la progressive sacralisation de la fonction guerrière de la chevalerie, muée en milice du Christ lancée à l'assaut de l'Islam (croisade de 1096), achève de verrouiller la société chrétienne selon l'ordre d'un droit divin dévolu au pape. Niant toute responsabilité de Dieu dans les convulsions de ce monde, l'hérésie cathare sera peut-être avant tout une réponse à la théocratie* pontificale.

Avec la réforme grégorienne, la papauté, affranchie de l'emprise impériale des Germains, affirme sa primauté absolue sur l'Église. Désormais conçue comme une monarchie dont le souverain serait le pape, elle prêche la guerre sainte contre les forces du mal – infidèles et hérétiques.

Les précurseurs

L'hérésie de l'an mil portait en elle le catharisme. De manichéen et de sorcier à Bon Homme, il n'y a probablement qu'une distance de vocabulaire. L'historien doit aussi savoir déchiffrer le parti pris des mots.

Manichéisme, synonyme d'hérésie ?
Le mot manichéen*, sous la plume des clercs médiévaux, est simplement synonyme d'hérétique. Le manichéisme, dénoncé au Ve siècle par Augustin, est resté l'hérésie par excellence. Or, il ne faut pas imaginer l'Occident de l'an mil brutalement envahi par des hordes de manichéens venus d'Orient.

La poudre à faire des manichéens

Les chroniqueurs de l'an mil, tels que Raoul – moine clunisien bourguignon – ou Adémar – moine d'Angoulême – signalent, parmi les prodiges annonciateurs de la fin des temps, l'irruption d'agents du mal : des sorciers, des manichéens*, bref des hérétiques. En Champagne, c'est un paysan nommé Leutard qui, ayant arraché la croix de sa paroisse au nom de l'Évangile, est traduit en justice devant son évêque. Dans le Périgord, ce sont des paysans, qui, incités par quelque vieille Italienne maléfique, soufflent sur de pieux chanoines la poudre de perlimpinpin qui « fait des manichéens ». On précise qu'il s'agit de la cendre d'enfants mort-nés d'orgies incestueuses ! L'hérésie* est d'abord assimilée à une sorcellerie démoniaque et populaire.

Des diables noirs…

Mais d'autres textes confèrent à cette hérésie une hauteur plus menaçante. En Piémont (nord-ouest de l'Italie), les compagnons de la noble dame de Monforte – qui console les malades par l'imposition de ses mains hérétiques – sont décrits comme des diables noirs. Adémar lui-même admet que les hérétiques constituent un clergé de « ministres du diable ». On ajoute que ceux du Périgord recrachent l'hostie derrière l'autel et prononcent des litanies mystérieuses, en fait probablement une version archaïque du Notre-Père.

… ou des tartuffes

Presque tous les textes insistent sur la piété démonstrative des hérétiques, jugés trop pieux pour être honnêtes. Les douze chanoines brûlés à Orléans en 1022 (*voir* pp. 10-11) étaient « les plus religieux » du chapitre cathédral : parmi eux, le propre confesseur de la reine. Tous prient avec affectation, s'imposent chasteté, jeûne et végétarisme rigoureux, mènent vie d'ascète et dénoncent avec vigueur le sacrement de mariage nouvellement institué (*voir* pp. 12-13).

Jusqu'au martyre

L'exécution d'Orléans n'est qu'un premier jalon dans la répression. Des bûchers s'allument, à Toulouse, en Aquitaine. La communauté de Monforte est brûlée en masse à Turin vers 1025. Des exécutions ont lieu en Rhénanie sur ordre de l'empereur germanique. Évêques et archevêques convoquent devant leurs cours ecclésiastiques – à Arras, Châlons-sur-Marne, en Champagne – des groupes hérétiques qui souvent leur tiennent tête, argument d'Évangile à l'appui. En bref, c'est à travers presque toute l'Europe occidentale que, dans la première moitié du XIe siècle, sont dénoncées, jugées et exécutées collectivement comme hérétiques des communautés déjà pré-cathares sous bien des aspects.

Sous les accusations caricaturales de sorcellerie dont les textes les travestissent, on peut reconnaître, dans les hérétiques de l'an mil, des communautés religieuses organisées, présentes simultanément dans la plupart des régions occidentales.

Les bogomiles de l'Est

On a souvent voulu voir dans les bogomiles les ancêtres orientaux des cathares. Les hérétiques apparaissent pourtant dans la chrétienté grecque au même moment que dans la chrétienté latine, même si d'emblée on a plus de précisions sur les bogomiles.

Les précurseurs bulgares

Ce n'est en effet que vers 970, une génération avant l'an mil, que les écrits d'un prêtre bulgare nommé Cosmas donnent l'alerte sur les agissements d'hérétiques sectateurs d'un pope : ce prêtre de l'Église orthodoxe* s'appelle Bogomil, ce qui signifie « aimé de Dieu » (c'est-à-dire Théophile).
Selon Cosmas, ces bogomiles du royaume de Bulgarie séduisent les « *âmes simples* » par leur habit religieux, leur dévotion débordante, leurs pratiques ascétiques voyantes.
Mais ces « *hypocrites comptent parmi eux des femmes, qui prétendent prêcher et absoudre les péchés, ce qui, bien sûr, est digne de risée* ».
En outre, ils interprètent les Écritures de manière dualiste*, attribuant la responsabilité du monde visible à un mauvais créateur – le diable – et ils refusent l'eucharistie*.

Les porteurs de besace d'Asie Mineure

Peu après l'an mil, alors que le royaume bulgare a été absorbé par l'Empire byzantin, un moine de Constantinople rapporte que les couvents de la capitale sont

remplis de ces hérétiques, qu'il a déjà vus à l'œuvre dans son enfance, en Asie Mineure, et qu'on appelle là-bas des « porteurs de besace ». Comme des moines en rupture d'abbaye, ces hérétiques prêchent le peuple par l'exemple de leur vie ascétique, mais aussi par l'Évangile.
Ils sont organisés en auditeurs, croyants et chrétiens selon un rituel comportant le baptême par imposition des mains et la lecture du Prologue de l'Évangile de Jean.

L'*Interrogatio Johannis*
On n'a conservé qu'un seul écrit émanant des bogomiles : l'*Interrogatio Johannis*, apocryphe* de l'Évangile de Jean développant un dualisme chrétien.

Les bogomiles byzantins

Au tournant des années 1100, un troisième dossier documentaire achève d'éclairer sur les bogomiles. À l'occasion de la capture d'un médecin byzantin du nom de Basile et de ses disciples, suivie de leur exécution sur ordre de l'empereur Alexis dans le fameux hippodrome de Constantinople, sont relatés la mort édifiante de ces hérétiques, ainsi que le détail de leurs croyances et de leurs rites.
Les chroniques de l'époque précisent, sans les confondre, que coexistent dans l'empire byzantin des Pauliciens*, des Arméniens et des bogomiles, à côté des chrétiens orthodoxes.

Bogomiles et cathares

Croyances et rites des bogomiles, très tôt définis dans les textes grecs, montrent à l'évidence une parenté étroite avec le catharisme occidental qui, lui, ne sera bien documenté qu'un siècle plus tard.
Une origine commune aux deux mouvements hérétiques est probable.
Mais la chrétienté grecque, désormais coupée du catholicisme romain suite au schisme de 1053 (*voir* pp. 12-13), ne se fera persécutrice que par l'intermédiaire du pouvoir politique des empereurs byzantins : les bûchers sont ordonnés par eux, et non par l'Église.
Pas de croisade ni d'Inquisition orthodoxes !

Les bogomiles de l'Empire byzantin, bien définis dès le XIe siècle, apparaissent comme les frères de ces hérétiques que l'Occident appellera cathares au XIIe siècle. Mais l'Église orthodoxe ne mènera pas à leur encontre la politique de persécution conduite par l'Église romaine.

Les cathares du Nord

Le mot cathare naît au XIIe siècle sur les bords du Rhin pour désigner des communautés hérétiques organisées autour d'évêques. Ces chrétiens s'appellent eux-mêmes apôtres, tout simplement...

Vrais chrétiens et usurpateurs
Les cathares rhénans de 1143 opposent leur vraie Église de Dieu à l'usurpatrice Église du monde des clercs de Rome, tout comme l'évangéliste Jean oppose Dieu et ce monde. Ils expliquent que la parabole du bon et du mauvais arbre montre que c'est à leurs fruits – l'exemple du Christ – qu'on reconnaît les vrais chrétiens (*voir* pp. 32-33).

Après la réforme

Le vent de la réforme grégorienne retombé (*voir* pp. 12-13), à l'aube du XIIe siècle, on s'aperçoit que les hérétiques* sont toujours là, dans les mêmes zones européennes où on les a dénoncés vers l'an mil. Mais, désormais, les documents sont plus nombreux, plus explicites. Peu à peu, les traits se précisent et la similitude entre hérétiques grecs et latins, encore floue au XIe siècle (*voir* pp. 16-17), paraît évidente.

Des apôtres de Satan au bûcher

C'est sur la Rhénanie, territoire de l'archevêché de Cologne et de l'évêché de Liège, que les documents focalisent d'abord l'intérêt. Après une vague de persécution en Soissonnais, les bûchers s'allument à Liège vers 1130-1135. En 1143, Evervin de Steinfeld, un religieux rhénan, lance un véritable appel à l'aide au prestigieux abbé cistercien*, Bernard de Clairvaux – le futur saint Bernard. Les hérétiques que l'on vient de capturer et de juger à Cologne ont en effet subi le supplice du feu avec le courage des premiers martyrs chrétiens, au point de semer le trouble parmi les religieux présents. Evervin lui-même est étonné de leur connaissance des Écritures. Ils prétendent aussi avoir des frères jusqu'en Grèce, ce qui se révèle exact aujourd'hui.

Des femmes et des évêques

Organisés autour d'un évêque en trois degrés – auditeurs, croyants et chrétiens –, ils comptent parmi eux des femmes, qui peuvent comme leurs frères délier des péchés et sauver les âmes par l'imposition des mains. Refusant toute réalité corporelle à la personne du Christ, ils bénissent le pain en lieu et place d'eucharistie*. Ils opposent leurs propres pratiques humbles et pauvres de vraie Église chrétienne aux fastes et à la volonté de puissance de l'Église romaine – Église du monde et non de Dieu. Eux-mêmes se disent simplement « apôtres » ou « pauvres du Christ ».

Cathares et archicathares

« *Sont-ils apôtres de Satan ?* », s'interrogeait Evervin. Vingt ans plus tard, à l'occasion d'une nouvelle rafle et de nouveaux bûchers, Eckbert de Schönau, chanoine de Bonn, utilise pour qualifier les hérétiques un mot promis à un bel avenir : « cathares ». Il distingue même parmi eux un archicathare, probablement leur évêque. Devenu abbé de Schönau et correspondant de la grande Hildegarde de Bingen, Eckbert écrit en 1163 une série de sermons contre ces hérétiques et se montre le fer de lance de la répression catholique en Rhénanie. En effet, les bûchers des années 1160 semblent décimer durablement la contestation religieuse dans cette région. Mais elle émerge ailleurs (*voir* pp. 20-21).

Au XIIe siècle, des foyers d'hérésie ressurgissent en Europe : les vagues de répression s'abattant en particulier sur la Rhénanie dévoilent l'organisation et les fondements religieux de ces communautés clandestines que l'on commence à appeler cathares.

Codification d'une hérésie

Au XIe siècle, les moines dénoncent les hérétiques sous accusation de débauche et de sorcellerie. Au XIIe, l'hérésie est définie, sous les plumes catholiques, par un catalogue d'erreurs dogmatiques. C'est que, désormais, l'Église elle-même s'est faite dogmatique.

De « cathares » à « albigeois »

Des hérétiques, sorciers et manichéens* de l'an mil (*voir* pp. 10-11) aux cathares du XIIe siècle, la continuité est probable. Dans le même temps, l'éventail des appellations péjoratives s'est encore élargi. Les textes font brûler des « publicains » en Champagne et en Bourgogne, des « piphles » dans les Flandres, des « patarins » en Italie, et dénoncent de « *très abjectes sectes de tisserands ou ariens* » dans le Midi, que l'on appellera bientôt des « albigeois ». Tous ces noms désignent à l'évidence une même famille d'hérétiques. Ceux qui se nomment eux-mêmes « apôtres » ou « chrétiens ».

Des néomanichéens* dualistes

Les textes du XIe siècle portent en germe l'essentiel de ce que les documents ultérieurs développeront à propos du catharisme. Il manque une touche que Eckbert de Schönau, chanoine de Bonn (*voir* pp. 18-19), est le premier à apporter en Occident : les hérétiques brûlés à Cologne vers 1160 étaient dualistes*.

Comme les bogomiles* dénoncés dans la chrétienté grecque (*voir* pp. 16-17), cathares et archicathares attribuent la création du monde visible non à Dieu le Père, mais à un ange rebelle – Lucifer – ou au diable – Satan. Evervin de Steinfeld, religieux rhénan (*voir* pp. 18-19), n'a guère été choqué par l'opposition entre Dieu et ce monde mise en avant par les « apôtres » brûlés en 1143, et qui porte pourtant la racine

L'invention du mot cathare
De l'appellation populaire « chatiste » ou « *catier* » (en roman de l'époque) – sorcier adorateur du chat –, le clerc érudit Eckbert de Schönau, par jeu de mots, a fait des « cathares », hantés de pureté et héritiers de la secte manichéenne antique des « catharistes ». À cette époque, ce glissement de sens est bien dans l'air du temps. Peu employé pourtant au Moyen Âge, ce terme sera adopté par les historiens modernes.

d'un dualisme chrétien. Or, à partir du dernier tiers du XIIe siècle, tous les documents dénoncent, unanimes, le « dualisme » de ces « nouveaux manichéens ».

À partir de la fin du XIIe siècle, l'Église de Rome définit l'hérésie cathare comme une erreur doctrinale : celle du dualisme qui l'assimile au manichéisme. L'accusation apparaît pour la première fois en Rhénanie en 1163. Inversement, l'Église construit sa légitimité sur la vision dogmatique d'un monde voulu et créé par Dieu.

Des sources dogmatiques

On aurait mal vu en effet des moines du XIe siècle porter accusation d'hérésie* pour des motifs de dualisme, alors que les esprits religieux de leur temps étaient hantés par le combat entre l'archange et le dragon (*voir* pp. 8-9) et considéraient ce monde violent comme lieu d'affrontement entre la milice de Dieu et les agents du mal.
Au XIIe siècle, dans un Occident stabilisé où les royautés émergent, l'Église rénovée (*voir* pp. 12-13) se préoccupe de l'argumentation doctrinale de sa prééminence, en affirmant le fondement divin de sa puissance terrestre. Les hérétiques, demeurés seuls « manichéens » au XIIe siècle, sont-ils simplement archaïques ? Dorénavant, l'hérésie suprême semble bien être le dualisme*, qui conteste l'autorité de Dieu, donc celle de l'Église, sur le monde.

Les Églises cathares européennes

C'est surtout à la lueur des bûchers, reflétée dans les textes, que l'historien discerne aujourd'hui l'existence des communautés hérétiques européennes. Et pourtant, des Églises structurées, ou évêchés, émergent bel et bien dans la seconde moitié du XIIe siècle.

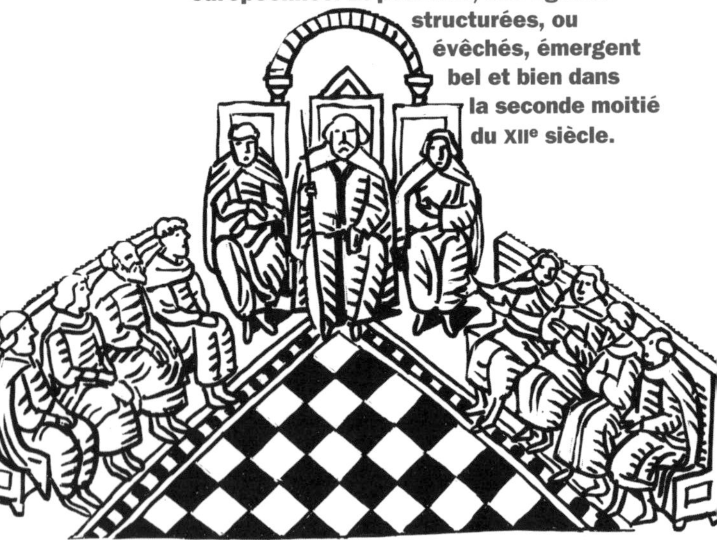

L'assemblée de Saint-Félix

Peu avant 1170, Nicétas (Niquita ou Niquinta), évêque bogomile* de Constantinople, fait une tournée pastorale en Occident, manifestement pour apporter aux communautés cathares en plein essor l'expérience des Églises orientales déjà implantées dans l'Empire byzantin (*voir* pp. 16-17).
Après avoir visité la Lombardie, il se rend en Languedoc pour participer – à l'invitation de l'Église cathare du Toulousain –, à une assemblée générale des communautés hérétiques occidentales, dans le *castrum** de Saint-Félix, en Lauragais.

L'Église de France

L'Occident cathare a déjà des évêques, attestés à Liège ou à Cologne avant le milieu du XIIe siècle. À Saint-Félix, pourtant, ne s'est présenté aucun délégué des cathares rhénans, probablement décimés par les rafles de 1163 (*voir* pp. 18-19). Par contre, un évêque de France, du nom de Robert d'Épernon, est à Saint-Félix. Il représente sans doute ces communautés de Champagne, Bourgogne et Flandre que des textes de la fin du XIIe siècle décrivent comme persécutées mais présentes, aussi bien à Reims, Vézelay, La Charité-sur-Loire, qu'à Lille ou à Nevers.

La *charte de Niquinta*
Date et localisation de l'assemblée de Saint-Félix ne sont connues que par la copie tardive d'un document perdu, la *charte de Niquinta*, dont l'authenticité est parfois mise en doute. Mais d'autres documents confirment la mission occidentale de Nicétas et l'existence des évêchés cathares européens.

Les Églises italiennes

Aux côtés de Nicétas, à Saint-Félix, se trouve Marc, évêque des cathares de Lombardie, rencontré à Milan. Cette Église italienne unique essaime, dès la fin du XIIe siècle, cinq Églises particulières, chacune avec son évêque et sa hiérarchie, animées parfois entre elles de rivalités et de dissensions. On connaît surtout les Églises antagonistes de Concorrezzo (près de Milan) et de Desenzano (au bord du lac de Garde), mais Florence, Spolète et Mantoue, actifs foyers de catharisme, ont aussi leur évêque.

Si la persécution semble mettre un frein à la dynamique des communautés hérétiques de France et de Germanie, celles du Languedoc et d'Italie, en pleine expansion, se structurent en Églises ou évêchés, sous le patronage de Nicétas, l'évêque bogomile de Constantinople.

Les Églises occitanes

En Languedoc, les hérétiques ont le vent en poupe. Quatre Églises ou embryons d'Églises cathares y sont déjà constituées. C'est à l'initiative des communautés du Toulousain et du Carcassès, que la réunion de Saint-Félix a été programmée. Comme celle de l'Agenais, elles élisent des évêques en leur sein, que Nicétas ordonne. L'Église de l'Albigeois, la plus ancienne, a déjà son évêque ordonné, Sicard Cellerier ; c'est lui qui, quelques années auparavant, en 1165, avait débattu à Lombers, près d'Albi, contre évêques catholiques et légat du pape, en présence du vicomte Trencavel. Déjà, en Occitanie, les cathares ne sont plus clandestins.

La société occitane

Depuis le XIe siècle, aucun bûcher d'hérétiques ne flambe en Occitanie. Ici, le pouvoir politique n'épaule aucune répression religieuse. Peut-on pour autant parler d'une société de convivialité ?

Une tolérance de fait

Déjà, lors d'une mission méridionale en 1145, le grand cistercien* Bernard (*voir* pp. 18-19) avait constaté à ses dépens que l'aristocratie des bourgades occitanes se moquait ouvertement des envoyés du pape, et protégeait en son sein des communautés hérétiques d'hommes et de femmes. De fait, c'est en public et sans entrave que l'assemblée de Saint-Félix (*voir* pp. 22-23) se déroule un beau jour de mai 1167, aux confins du comté de Toulouse et de la vicomté Trencavel d'Albi.

Comtes et vicomtes

Les évêchés cathares du XIIe siècle se sont implantés sur le territoire de deux grandes principautés : le comté de Toulouse – puissant vassal du roi des Francs –, et l'ensemble des vicomtés réunies par la famille des Trencavel – Carcassonne, Béziers, Albi et Limoux –, tiraillées entre Barcelone et Toulouse. Si les vicomtes Trencavel penchent très tôt vers le catharisme, Raimond V

Amour de Dieu, amour des dames
Dans les petites cours aristocratiques méridionales, les prédicateurs cathares, qui parlent de Dieu, fréquentent la même société que les troubadours, qui eux chantent l'amour des dames.

de Toulouse, resté catholique, se plaint en 1177 d'avoir les mains liées, et donc de ne pouvoir lutter contre l'hérésie adoptée par ses vassaux. Mais, au tournant du XIIIe siècle, son fils Raimond VI fréquente les hérétiques, tandis que les comtesses de Foix, avec l'assentiment de leurs frères et époux, entrent en religion cathare.

Droit féodal et romanité

Les comtés occitans ne sont pas des États féodaux centralisés. Les seigneurs, vassaux des comtes, sont quasi maîtres chez eux, dans les bourgades fortifiées où ils pratiquent une seigneurie collective éclatée sur le plat pays : en l'absence de droit d'aînesse, terres et droits sont partagés entre cousins et arrière-cousins et parfois même, les filles héritent. C'est cette petite noblesse rurale, besogneuse et anticléricale, qui, au XIIe siècle finissant, se montre, dames en tête, le premier et le plus ferme soutien du christianisme cathare.

De vrais châteaux cathares

Comme tout le sud de l'Europe, de l'Italie à la Gascogne, l'Occitanie bénéficie d'un habitat groupé réunissant, au sein des mêmes murailles, les différentes classes de la société. C'est le *castrum**, petite ville-château enroulée autour du noyau de la tour féodale, qui constitue aussi le lieu d'implantation privilégié du christianisme cathare, sous la protection des lignages aristocratiques. Belles dames ou vieux seigneurs, vivant au cœur du *castrum*, donnent souvent, dans leur engagement cathare, un exemple attractif aux boutiquiers et aux paysans. Ce n'est ni dans les grandes villes (Toulouse ou Albi), ni dans les places de garnison frontalières (Quéribus ou Peyrepertuse), qu'il faut imaginer les lieux de vie du catharisme.

À la fin du XIIe siècle, sur le territoire des vicomtés Trencavel et des comtés de Toulouse et de Foix, l'aristocratie rurale tend à protéger et adopter le christianisme cathare, persécuté ailleurs en Europe.

L'ordre de sainte Église

Entre Cahors et Carcassonne, quatre et bientôt cinq évêchés cathares constituent une véritable Église parallèle, concurrençant la hiérarchie catholique de Rome et revendiquant l'apostolicité*.

Les évêchés cathares occitans

L'implantation des Églises-évêchés cathares permet de dresser une carte vraisemblable du « pays cathare » occitan (*voir* p. 62-63). Au moment de son extension maximale, avant la croisade contre les albigeois (*voir* pp. 40-41), le catharisme touche, à l'ouest, le Quercy depuis Gourdon (dans le Lot) et l'Agenais (Église d'Agen) ; au centre, le Toulousain, le Lauragais et le comté de Foix (Église de Toulouse) ; au nord, l'Albigeois (Église d'Albi) et, à l'est, le Cabardès, le Minervois et le Carcassès (Église de Carcassonne), pour se diluer vers les Corbières et la mer. En 1226, un cinquième évêché, celui du Razès (région de Limoux), est démembré de celui du Carcassès.

Bons Chrétiens et croyants

Comme l'Église romaine, l'Église cathare se partage entre un clergé et des fidèles. Les fidèles, ou croyants, appartiennent au peuple chrétien de base. Ils ne renient en rien leurs engagements catholiques antérieurs, mais ont le sentiment d'accéder, grâce au sacerdoce des Bons Chrétiens, ou Bons Hommes et Bonnes Femmes, à un meilleur état de chrétien. Le clergé cathare est en effet mixte. Comme des prêtres catholiques, Chrétiens et Chrétiennes prêchent et confèrent le salut, en déliant des péchés.

Nicétas et l'ordination des évêques
On a parfois soutenu que la mission de Nicétas à Saint-Félix (*voir* pp. 22-23) était d'ordre doctrinal. En fait, c'était simplement une nouvelle (et meilleure ?) tradition d'ordination apostolique* qu'il prétendait apporter aux premiers évêques occitans.

Ordination

Comme l'évêque catholique en son diocèse, l'évêque cathare est à la source du sacré, que ses mains dispensent par l'ordination aux membres de la communauté. Ordonnés par l'évêque, Chrétiens et Chrétiennes mènent vie consacrée à Dieu et peuvent par délégation délier des péchés. Ce pouvoir d'ordonner, transmis d'évêque en évêque – que leurs textes appellent « l'ordre de sainte Église » –, les évêques cathares le revendiquent en droite ligne des Apôtres.

Hiérarchie

À la tête de chaque Église cathare, l'évêque est assisté de deux coadjuteurs – ses Fils majeur et mineur – qui sont déjà évêques ordonnés. Ainsi, à sa mort, son Fils majeur peut-il lui succéder directement. Le territoire de l'évêché se répartit entre un certain nombre de diacres* : ils font fonction d'intermédiaires entre la hiérarchie épiscopale et les communautés chrétiennes de base des villages qu'ils visitent régulièrement. Les évêques eux-mêmes résident rarement dans les villes, mais vivent en communauté au sein des bourgades. Cette organisation rappelle celle de l'Église primitive, du temps des Apôtres.

Les Églises cathares sont constituées d'une population de fidèles, ou croyants, et d'un clergé mixte de Chrétiens ou Bons Hommes et Bonnes Femmes. Sur le modèle de l'Église primitive, elles sont administrées par une hiérarchie d'évêques et de diacres.

Les maisons religieuses

Alors que les moines catholiques, bénédictins* et cisterciens*, fuient le monde en s'isolant, les religieux cathares ouvrent leurs maisons au cœur des bourgs, où ils prêchent d'exemple autant que par l'Évangile.

La règle et le siècle
On dit que les moines et religieuses, qui suivent une règle, constituent le clergé régulier. Prêtres et évêques, qui vivent dans le siècle, sont appelés quant à eux clergé séculier.

Réguliers ou séculiers ?

Chrétiens et Chrétiennes, ordonnés par leur évêque, vivent en communauté, en maisons religieuses. Comme un clergé régulier de moines et de moniales (*voir* ci-contre), ils ont prononcé les vœux de chasteté, pauvreté et obéissance, auxquels ils ajoutent non violence et végétarisme absolu.
Ils suivent une règle de vie commune et disent des prières à heures régulières. Mais comme un clergé séculier de prêtres, tous prêchent et confèrent le sacrement du salut.

Enseignement et prédication

Assimilables aux maisons religieuses catholiques, les maisons cathares sont aussi lieux d'enseignement : les novices entrant en religion y reçoivent formation religieuse et catéchèse durant deux à trois années, avant de prononcer leurs vœux et d'être ordonnés par l'imposition des mains de l'évêque. Les cérémonies d'ordination, publiques, se déroulent en présence des villageois croyants.
Prédicateurs et prédicatrices quittent régulièrement leur communauté pour visiter parents et amis dans le bourg ou les environs.

Prêche en occitan
Pour prêcher le peuple et répondre à son attente évangélique, les Bons Hommes laissent le latin aux clercs catholiques et utilisent des versions des Écritures traduites en langue romane, ici en occitan. Les Bonnes Femmes prêchent elles aussi l'Évangile, en général pour des auditoires de croyantes.

Travail et hospitalité

Dans leurs maisons religieuses, les communautés cathares d'hommes ou de femmes se livrent à un labeur quotidien. Ils retirent leur subsistance du travail de leurs mains rythmé par leurs prières, alors que le clergé catholique exige des fidèles dîmes et impositions. Bons Hommes et Bonnes Femmes invitent des convives à leur table où ils bénissent le pain, hébergent les nécessiteux, soignent les malades. Certains de leurs établissements, véritables hospices, assurent aux croyants l'accompagnement spirituel d'une mort chrétienne, la « bonne Fin » ouverte sur le salut de l'âme.

Le couvent au village

Les communautés d'hommes sont dirigées par un Ancien ; les communautés féminines par une Supérieure ou Prieure.

Leurs maisons religieuses, laborieuses et sans clôture, nombreuses dans les ruelles des bourgades, participent pleinement à la vie économique et sociale locale.

Elles assurent aussi, plus activement que le curé en sa paroisse, une fonction religieuse diversifiée, mettant la population en prise directe avec des pratiques apostoliques*.

Cet apostolat de proximité explique pourquoi les cathares sont tenus dans les villages pour « *de bons chrétiens, qui avaient le plus grand pouvoir de sauver les âmes* » (selon les témoignages devant l'Inquisition, *voir* pp. 42-43).

Religieux et religieuses cathares, laborieux et pauvres, vivent ouvertement en bons chrétiens au sein des bourgades occitanes, où leurs maisons communautaires tiennent de multiples fonctions (hospice, école, atelier…).

Au cœur de la famille

Entrant dans les ordres, le religieux ou la religieuse cathare ne se coupe pas de sa famille comme le fait le moine catholique. Il ou elle ne s'en éloigne guère, continue à la fréquenter, et ne manque pas de la catéchiser.

Le salut à la maison

On a dit du catharisme qu'il anticipait sur la fameuse pratique du « couvent à la ville » (*voir* pp. 28-29), qui allait assurer le succès de l'ordre dominicain* aux siècles suivants. Il a fait bien plus, avec le couvent au village et même à la maison. Ce christianisme sans chapelle, sans cloître ni édifice sacré, installe en effet ses communautés religieuses, son culte et ses prédications jusque dans les bourgades, notamment dans les demeures particulières de ses croyants, qui deviennent par là même maisons de l'Église.

Matriarches cathares

Si certains établissements cathares équivalent à des monastères catholiques, à des séminaires ou à des hospices, la plupart ne comptent que quelques membres, parfois de la même famille. Veuves, épouses ayant élevé de nombreux enfants, ou filles sans dot donc sans mari, peuvent ainsi se consacrer à Dieu et faire leur salut comme Bonnes Femmes, en vivant en communauté non cloîtrée avec une sœur, une mère, une tante, dans une pièce de la maison familiale, sinon dans la maison voisine avec d'autres femmes du lieu. Les dames nobles donnent l'exemple, comme Blanche de Laurac avec sa fille Mabilia ou Garsende du Mas-Saintes-Puelles avec sa fille Gailharde.

Femmes cathares
Dans les effectifs du clergé cathare, le pourcentage des femmes peut atteindre la moitié, ce qui est considérable par rapport au nombre des moniales catholiques. Elles y jouent aussi un rôle enviable de prédicatrices, douées de la capacité de sauver les âmes, ce que la papauté a toujours refusé aux chrétiennes.

Lignages cathares

Il va sans dire que le reste de la famille entoure de respect ses Bons Hommes et ses Bonnes Femmes : ainsi Aimery de Montréal et Guiraude de Lavaur vénèrent-ils leur mère Blanche de Laurac, tout comme les cinq coseigneurs du Mas leur mère Garsende. La cohésion familiale se soude autour du christianisme cathare. Le temps des persécutions venu – après la croisade contre les albigeois (*voir* pp. 40-41) –, on voit des Bons Hommes clandestins protéger de loin leur ex-épouse ou leur mère, Bonnes Femmes traquées par l'Inquisition. Les *faydits** de Montségur et d'ailleurs ont quant à eux bien souvent une sœur ou une mère brûlée à venger.

Trois ordres sans rupture

C'est ainsi, de l'intérieur, que la société de bon nombre de bourgades occitanes s'est imbibée du christianisme cathare, devenu une affaire de famille et de bon voisinage. Il suffit que les seigneurs montrent la voie ou simplement laissent faire. Et dans le *castrum** méridional où cohabitent peuple et noblesse, un ordre religieux cathare est aussi présent, même s'il n'est pas reconnu par le pape de Rome et si, par son labeur, il chamboule un peu la hiérarchie des classes. Ici, ceux qui prient, travaillent !

Présents et actifs jusqu'au sein même de leur famille, religieux et religieuses cathares assurent à l'évangélisme dissident un ancrage profond, que la persécution du XIIIe siècle aura peine à déraciner.

Innocenter Dieu du mal

Le dualisme que développe le catharisme est latent dans les Écritures et lourdement présent dans l'idéologie monastique du XIe siècle. Les Bons Hommes n'y ajoutent qu'un zeste de logique et quelques lectures d'Aristote (384-322 av. J.-C.).

Foin de Manès et de Zoroastre

Sur la lancée de systématisations théologiques très dépassées, émanant des vainqueurs, bien des ouvrages pseudo-historiques décrivent encore les cathares comme les héritiers de vieilles doctrines orientales, de Manès (*voir* pp. 4-5) ou de Zoroastre*, extérieures ou antérieures au christianisme. On sait pourtant que leurs seuls livres sacrés furent les Écritures chrétiennes, et que c'est comme Bons Chrétiens qu'ils furent assimilés dans le peuple chrétien du Languedoc, même si la papauté fit une cible de leur dualisme*.

Les fruits du bon arbre

La révélation chrétienne qui, pour la première fois dans l'histoire, annonce que Dieu est bon et aime ses créatures, rend particulièrement douloureux le problème du mal en ce monde. Le christianisme porte ainsi en lui un germe de dualisme latent. Les hérétiques soulignent que, dans l'Évangile, la parabole du bon et du mauvais arbre (*voir* pp. 18-19) apporte la claire réponse que le bon arbre ne peut porter de mauvais fruits, donc que le Père ne peut être à l'origine du mal.

Dieu et ce monde

On a vu, par l'usage qu'en a fait le XIe siècle chrétien, que cette racine de dualisme est visible dans le Nouveau Testament, notamment dans l'Évangile et la première épître de Jean – qui opposent Dieu et ce monde –, ainsi que dans l'Apocalypse*.

Logique scolastique
La jeune scolastique* ajouta sa logique à l'argument évangélique cathare, en dénonçant le « pseudo-libre arbitre » par lequel le catholicisme justifie que des créatures de Dieu fassent le choix du mal. Dans cette perspective, toutes les âmes, nées de Dieu, sont bonnes de nature ; « libérées du mal » par le Christ, elles ne peuvent que tendre au bien. Le choix du mal n'est donc pas liberté, mais asservissement.

Les hérétiques ont poursuivi sur cette lancée, opposant ce bas monde au Royaume du Père. Et ils ont refusé d'assimiler ce Père, annoncé par le Christ, en son « Royaume qui n'est pas de ce monde », au créateur maladroit, jaloux et menteur que met en scène la Genèse*. Deux créations, deux créateurs. Mais un seul Dieu, le Père. Déjà, le christianisme du XIe siècle prêche sombrement que ce bas monde corruptible n'est qu'illusion diabolique, et que la seule réalité qui vaille se trouve dans l'invisible.

La chute des anges

Au récit de la création par Yaveh contenu dans la Genèse, les hérétiques préfèrent celui de la chute des anges dans l'Apocalypse, emportés malgré eux par la queue du dragon repoussé par l'archange.

C'est ainsi que ce bas monde, pétri par Lucifer – ange rebelle à Dieu – ou par Satan – le diable –, aurait été peuplé d'âmes divines. Et le mauvais créateur les emprisonna dans les corps de sa fabrication, dans l'oubli de leur patrie céleste et de la bonté de leur nature.

Le dualisme cathare ne vise qu'à innocenter du mal et du monde le Dieu d'amour des Évangiles. Il situe dans l'invisible le Royaume du Père et attribue au monde corruptible un mauvais créateur : le diable ou l'ange rebelle.

Sauver les âmes

Les cathares ne voient aucun symbole de rédemption dans la Croix, pour eux instrument de mort et non de vie. Ils appellent au salut grâce à l'éveil par l'Évangile et au baptême du Christ.

Le Christ des Bons Chrétiens

On peut sans risque qualifier les cathares de chrétiens, car le Christ est au centre de leur enseignement et au cœur de leur foi.
Sur la lancée des grands débats théologiques des premiers siècles chrétiens, ils mettent pourtant du désordre dans le dogme de la Trinité* et contestent la nature humaine du Christ ; pour eux, le Fils et envoyé de Dieu ne pouvait s'abaisser à endosser un corps corruptible et ce ne fut qu'en apparence qu'il vécut, souffrit et mourut parmi les hommes. Ils lui prêtent en revanche un rôle fondateur dans leur christianisme.

Une rigueur absolue
Les cathares suivent la « Règle de justice et de vérité » des préceptes évangéliques. Le moindre manquement – tuer même un animal, mentir, jurer, etc. – constitue un péché qui invalide la force de l'Esprit. Le pécheur doit alors recevoir un nouveau *consolament*.

Le baptême d'Esprit

Ce n'était pas pour mourir que le Père avait envoyé son Fils, mais pour remplir la haute mission de libérer les anges tombés en la servitude du monde et du mal (*voir* pp. 32-33).
Ce fut par la « Bonne Nouvelle » de l'Évangile que le Christ éveilla les âmes endormies, et leur délégua, de la part du Père, le geste salvateur du baptême par imposition des mains, annoncé par Jean-Baptiste : « *Un autre viendra après moi, plus puissant que moi, et qui vous baptisera par le feu et l'Esprit.* » Le Christ envoya en effet l'Esprit sur ses Apôtres, les chargeant de le diffuser à leur tour sur leurs disciples.
Cette interprétation des Écritures, qui privilégie la Pentecôte par rapport à la Passion, est probablement fort ancienne.

Sept sacrements en un ?

Les cathares – ou apôtres – revendiquent le fait d'avoir reçu le pouvoir de baptiser par l'Esprit en droite ligne des Apôtres, et par là même prétendent constituer la seule Église chrétienne authentique, l'Église romaine ayant dévié. Cet unique sacrement qu'ils pratiquent, le *consolament** (*voir* ci-contre), a pour eux valeur de baptême d'initiation chrétienne et d'ordination, mais aussi de confirmation puisqu'il s'ajoute au baptême d'eau jugé insuffisant. Du fait qu'il absout les péchés, il est fondamentalement pénitence, signe du pouvoir de délier des péchés qui est marque de l'Église du Christ. Conféré aux mourants, il vaut une extrême-onction ; unissant l'Esprit à l'âme, il représente enfin le mariage spirituel. Mais il n'est pas eucharistie*.

***Consolament*, un vocable chrétien**
Le mot dérive directement du terme chrétien général « consolateur » (le Saint-Esprit ou Paraclet). Au XIXe siècle encore, on disait des curés de campagne qu'ils portaient la consolation aux mourants – en fait l'extrême-onction.

Nous irons tous au paradis

Le *consolament*, cadeau du Christ, assure en fait le salut des âmes tombées. L'une après l'autre, chaque âme consolée, à la mort de sa prison charnelle, regagne le Royaume du Père. Toutes les âmes. Il n'y a pas de place pour un enfer éternel dans cette conception optimiste du christianisme, qui ne prête au mal que le temps, passager, et ce monde, voué à disparaître, « *recroquevillé sur son néant* » (selon l'expression du romaniste et philosophe René Nelli). Au XIIIe siècle, les Bons Hommes prêchent que « *toutes les âmes sont bonnes et égales entre elles et toutes seront sauvées* ».

Les cathares pratiquent au nom du Christ un sacrement unique, le baptême d'Esprit ou *consolament*, qu'ils assurent tenir en ligne directe des Apôtres, afin de sauver les âmes. Refusant l'enfer éternel, ils croient au salut universel.

Rituels

Au XXe siècle, les historiens ont mis au jour cinq livres cathares médiévaux : deux traités et trois rituels, dont l'un copié à la suite d'une Bible traduite en occitan. Auparavant, on ne connaissait les hérétiques que par les écrits de leurs adversaires.

Écritures cathares

Les manuscrits d'origine cathare, livres de théologie chrétienne médiévale, confirment que les Bons Hommes fondaient leur enseignement sur l'ensemble du Nouveau Testament, qu'ils citaient et commentaient avec aisance. Les rituels donnent le détail de leurs liturgies et de leurs prières, et permettent de pénétrer au cœur de leur sensibilité religieuse, qui se révèle archéo-chrétienne par bien des aspects.

Le sacrement et l'oraison

Le baptême du *consolament** est une cérémonie, collective et publique, pour tous. Accompagné par son Ancien ou sa Prieure (*voir* pp. 28-29) dans la maison de l'évêque, le ou la novice qui veut « *se donner à Dieu et à l'Évangile* » reçoit d'abord la tradition du *Pater*, la prière essentielle qu'il devra désormais réciter en longues séries régulières, puis celle du Livre. Ensuite, après une longue cérémonie, l'évêque et tous les Bons Hommes présents imposent leur main droite sur sa tête en disant le prologue de l'Évangile de Jean. Le *consolament* aux mourants suit un rituel analogue : administré par deux Bons Hommes en présence de la famille et des amis, il est réputé « *avoir le plus grand pouvoir de sauver l'âme* ».

Absence de symbolique
Le christianisme cathare n'utilise aucun symbole religieux. Sa spiritualité ne recherche Dieu qu'en dehors du visible. Il n'existe donc ni croix, ni temple, ni même colombe cathare. Sans parler des signes farfelus propres aux ésotéristes du XXe siècle (*voir* pp. 54-55).

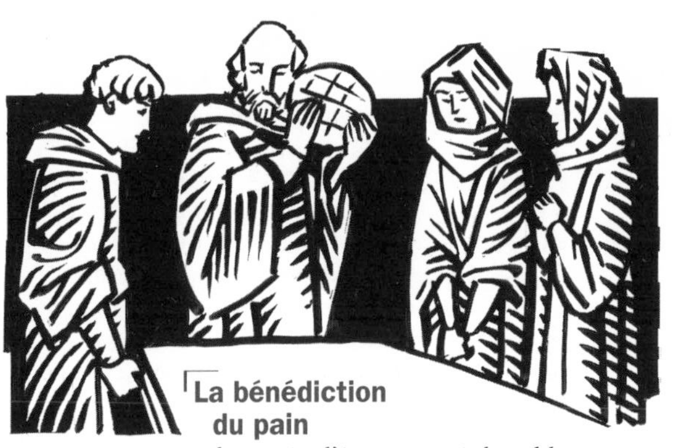

La bénédiction du pain

Les croyants sont honorés d'être reçus à la table des Bons Chrétiens. Au début de chacun de leurs repas – strictement végétarien – le plus âgé des Bons Hommes ou des Bonnes Femmes présents bénit le pain, avant de le partager entre tous les convives. Ce rite, attesté dès l'an mil, leur tient lieu d'eucharistie*. C'est en mémoire de la Cène, mais sans envisager de manger ainsi réellement le corps du Christ ni de boire son sang, qu'ils rompent le pain : pour eux, celui-ci symbolise la Parole divine à répandre dans le monde.

Les fidèles, la morale et la chasteté

Lorsqu'un croyant rencontre un Bon Homme ou une Bonne Femme, il les salue d'une triple demande de bénédiction, ou, en occitan, *melhorier*, (« amélioration »), en s'inclinant trois fois devant eux.

À la fin de chaque cérémonie cathare, un baiser de paix s'échange entre hommes d'un côté et entre femmes de l'autre, de Chrétiens à croyants. Leur vœu de chasteté rigoureux interdit en effet aux religieux cathares tout contact avec une personne de l'autre sexe. Ils vont jusqu'à éviter de s'asseoir sur un même banc ! Mais c'est à tort que l'on a accusé les cathares de vouer l'humanité à l'extinction, puisque, bien sûr, seuls leurs religieux – comme d'ailleurs chez les catholiques – sont astreints aux vœux monastiques.

Comme son interprétation des textes sacrés, les liturgies du catharisme portent l'empreinte d'un souvenir du christianisme ancien. Ce qui ne les a pas empêchées de rythmer harmonieusement la vie religieuse de populations médiévales.

Les vents nouveaux du XIIIe siècle

1198. Le nouveau pape, Innocent III, a un grand dessein. Il veut réunifier et réorganiser la chrétienté sous la houlette du Saint-Siège, en canalisant les spiritualités. Le XIIIe siècle verra effectivement l'élimination systématique des frondes hérétiques.

L'Église et la répression

Condamnant religieusement les hérétiques qu'elle fait comparaître devant les cours épiscopales, l'Église a d'abord hésité sur les moyens de la répression. Les premiers bûchers sont en général ordonnés par le « temporel » des pouvoirs publics (droit de haute justice). Peu à peu, par conciles* et bulles* pontificales, l'Église légifère en matière d'hérésie*. La décrétale de Vérone, une ordonnance publiée de concert par le pape et l'empereur germanique en 1184, coordonne à l'échelle européenne les mesures contre les hérétiques, assimilés à des criminels de lèse-majesté divine.

Renvoyée à sa quenouille ! Un chroniqueur rapporte que, prenant la parole lors du débat contradictoire de Pamiers en 1207 entre cathares, vaudois* et catholiques, la sœur du comte de Foix se fit vertement renvoyer à sa quenouille hérétique par les représentants catholiques.

Les Cisterciens en Languedoc

Si la répression flambe en Champagne, Flandre, Rhénanie ou Bourgogne, le rapport de forces en Languedoc protège les dissidents des autorités ecclésiastiques.

En 1178 puis en 1181, le pape envoie des légats à Toulouse ou Albi, à la tête de missions cisterciennes* qui, faute de coopération des pouvoirs publics locaux, ne peuvent prendre que des mesures à peu près symboliques.

Dans les premières années du XIIIe siècle, les envoyés du pape Innocent III – Maître Raoul de Fontfroide ou le légat Pierre de Castelnau –, en sont réduits à débattre publiquement de théologie avec les Bons Hommes. Sans grand succès.

Dominique

Présent en Languedoc à partir de 1206, le chanoine castillan Dominique de Guzmán (*ci-contre*) a le génie d'essayer de combattre la prédication des Bons Hommes avec leurs propres armes. C'est pauvre et mendiant qu'il se lance à la reconquête des consciences. La croisade d'Innocent III en 1209 (*voir* pp. 40-41) va signer l'échec de sa courageuse tentative.
Mais, relayant les Cisterciens, les Dominicains* ou frères prêcheurs sont désormais, par leur nouveau mode de prédication au caractère doctrinal marqué, l'efficace instrument de la reprise en main du pape sur l'Occident chrétien.

François

C'est pourtant François d'Assise et sa Fraternité pauvre – à l'origine des Franciscains* ou frères mineurs – qui vont imprimer au XIIIe siècle une réelle inflexion évangélique : ils vont rénover durablement la spiritualité occidentale autour de la personne humaine et souffrante du Christ.
François, mort en 1226, ne peut cependant empêcher que cet élan soit canalisé par la politique autoritaire et dogmatique de l'Église.
Le XIIIe siècle religieux va devenir tant le berceau de la spiritualité franciscaine que celui de l'Inquisition, à laquelle les Dominicains vont attacher leur nom.

À l'aube du XIIIe siècle, alors que l'Église s'est dotée d'un arsenal juridique anti-hérétique performant, les ordres mendiants symbolisent un renouveau des idéaux chrétiens. Le fer de lance de la reconquête religieuse passe des mains des Cisterciens à celles des frères prêcheurs de Dominique.

Croisade

Le XIIIe siècle s'ouvre par la première croisade en terre chrétienne, la croisade contre les albigeois, c'est-à-dire contre les féodaux occitans coupables de protéger l'hérésie. Déclarée par le pape, la guerre sera gagnée par le roi.

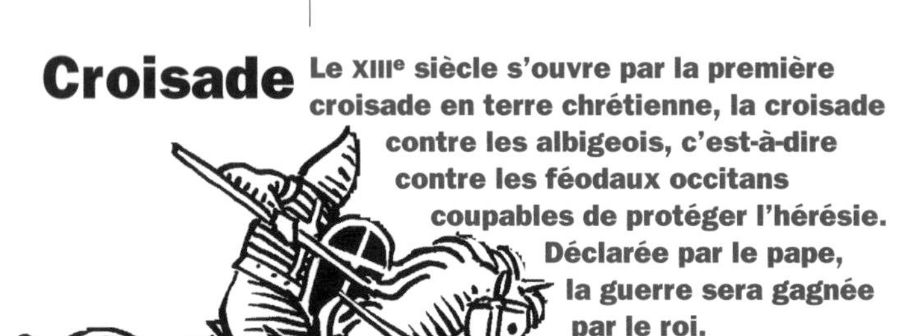

Innocent III et Philippe Auguste

Le pape Innocent III rêve de croisade en Terre sainte, pour reprendre Jérusalem, tombée en 1187 aux mains des Infidèles (sarrazins). Il attachera son nom à la croisade contre les albigeois ainsi qu'à une réorganisation vigoureuse de la chrétienté lors du concile du Latran de 1215 (définition de la communauté des croyants par le *Credo**, la paroisse et les sacrements, excluant mal pensants et hérétiques). Il considère comme une offense contre Dieu la tolérance hérétique des princes occitans, mais ne parvient pas à décider le roi de France Philippe Auguste à intervenir militairement contre ses vassaux méridionaux.

Exécutions massives
La croisade contre les albigeois est marquée de façon sinistre par des massacres de population (Béziers en 1209, Marmande en 1219) et par de grands bûchers collectifs d'hérétiques, de Minerve (140 brûlés en 1210) à Lavaur (400 brûlés en 1211).

La croisade des barons

Barons de France et d'Europe répondent à l'appel du pape à la croisade et, à partir de 1209, déferlent vers les domaines de Toulouse et des Trencavel, sous la bannière du légat Arnaud Amaury, abbé de Cîteaux. De Béziers à Marmande, dix ans de guerre et d'atrocités ravagent en vain le pays. En 1220, on peut considérer comme un échec la tentative d'implantation à Toulouse

genèse | clandestins | implantés

et Carcassonne de la dynastie catholique des Montfort, balayée par le soutien des populations locales à leurs comtes légitimes. Les Églises cathares, laminées par les autodafés de la croisade, commencent à se reconstruire.

La croisade royale

En 1226, Louis VIII de France, fils de Philippe Auguste, reprend à son compte les droits des Montfort sur les comtés méridionaux et dirige lui-même l'armée française contre Raimond Trencavel, Raimond VII de Toulouse (*ci-contre*) et leurs vassaux. Malgré de rudes résistances ponctuelles (guerres de Limoux et de Cabaret), l'intervention du roi capétien sème la terreur en Languedoc et, en 1229, le comte de Toulouse signe sa soumission par le traité de Meaux, ratifié à Paris.

La redistribution des cartes

1209-1229, vingt ans de guerre sous motif religieux. Mais de résultat religieux, point ou presque ! Les Églises cathares ont renouvelé leurs effectifs, jusqu'à fonder un cinquième évêché en Razès (région de Limoux) en 1226.
En revanche, les conséquences militaires sont lourdes : les Trencavel éliminés, un sénéchal royal français s'installe à Carcassonne-Béziers ; un autre à Beaucaire-Nîmes, anciennement toulousaines. Raimond VII de Toulouse s'est lié lui-même les mains, s'engageant à réprimer l'hérésie*, à désarmer ses places fortes et à léguer son comté à sa fille unique Jeanne, mariée à un capétien. Quant aux lignages seigneuriaux compromis dans l'hérésie, ils sont dépossédés, *faydits** (en occitan).

La croisade contre les protecteurs d'hérétiques, prêchée aux barons de la chrétienté par le pape Innocent III en 1209, tourne, vingt ans plus tard, à une guerre de conquête royale française. En 1229, les capétiens ont un pied en Languedoc.

Inquisition

Au moment où leur fondateur Dominique est canonisé, en 1234, les frères prêcheurs dominicains attachent leur nom à la neuve Inquisition. Une révolte populaire les chasse un temps de Toulouse, mais le pouvoir est désormais de leur côté.

Le pape et le roi

Si, en 1229, le roi a finalement gagné la guerre déclarée par le pape (*voir* pp. 40-41), ce dernier retire tout son bénéfice de la victoire du roi : dès lors, l'Église a les coudées franches pour agir en Languedoc. Le pouvoir a changé de mains. Princes et seigneurs protecteurs d'hérétiques* sont dépossédés – *faydits** – ou soumis. Les communautés cathares sont désormais clandestines, mais encore nombreuses. Elles sont organisées et soutenues dans l'ombre par tout un réseau de solidarités familiales et sociales.

L'Inquisition pénitentielle

La reconquête religieuse catholique passe nécessairement par la destruction de ces réseaux. C'est la mission de l'Inquisition, instituée en 1233 par la papauté comme un confessionnal obligatoire et itinérant, chargé d'entendre en pénitence et de réconcilier à la foi catholique – celle du roi – l'ensemble des populations méridionales mal soumises par la guerre. Confiée aux jeunes ordres mendiants, franciscain* et surtout dominicain*, l'Inquisition porte dans les bourgades la pastorale nouvelle (*voir* pp. 38-39) et officielle de l'Église.

l'Inquisition policière

Cette première bureaucratie moderne joue surtout un rôle de tribunal religieux permanent, ne dépendant que du pape et non plus des évêques locaux.

Fondant son enquête sur la délation systématisée et assimilant confession et déposition, l'Inquisition fait régner suspicion et terreur jusqu'au sein des familles. Elle parvient, en quelques générations, à briser la solidarité qui protège les hérétiques clandestins.

Sentences

L'Inquisition tue peu, car tel n'est pas son rôle. Elle cible ses objectifs : elle distribue aux simples croyants repentis des pénitences s'échelonnant du port de croix jaunes cousues sur leurs vêtements à l'expropriation de leurs biens et à la prison à vie. La sentence de mort – par l'intermédiaire d'un bras séculier puisque les juges, religieux chrétiens, sont censés refuser toute violence – est réservée au clergé clandestin, c'est-à-dire aux Bons Hommes et Bonnes Femmes refusant d'abjurer, ainsi qu'aux croyants relaps (retombés dans leur faute). Les morts en odeur d'hérésie sont condamnés à l'exhumation puis au bûcher posthume, et leurs maisons, maudites, à la démolition.

De précieuses archives
Consignant sur ses registres les confessions-dépositions des villageois occitans du Moyen Âge, l'Inquisition devait, paradoxalement, doter l'Histoire d'une extraordinaire mine de documents sur le catharisme qu'elle avait pour mission d'éliminer.

Sur le Languedoc militairement soumis, l'Église installe à partir de 1233 le tribunal religieux itinérant de l'Inquisition. Il est chargé de décapiter le catharisme clandestin – donc son clergé – puis de détruire, par la terreur et la délation, les réseaux de solidarité qui le protègent.

Montségur

D'un point de vue historique, on ne peut soutenir qu'à Montségur les cathares sont morts pour la liberté de conscience, notion du reste peu médiévale. Mais on ne peut nier qu'une Église de pouvoir, au nom du Christ, y a mis effectivement à mort une autre Église chrétienne.

Le château n'est pas cathare
Le château de Montségur est postérieur au siège de 1244. Sur les ruines du village cathare démantelé par l'Inquisition, les sires de Lévis, seigneurs par droit de conquête, élèvent vers 1300 ce monument, signe de leur nouveau pouvoir. Il est donc vain de chercher dans son architecture une symbolique cathare.

Le haut lieu de la résistance religieuse

Au lendemain du traité de Meaux-Paris (*voir* pp. 40-41), qui consacre la soumission au roi du comte de Toulouse, la hiérarchie des Églises cathares du Toulousain, de l'Agenais et du Razès est accueillie dans le *castrum** de montagne de Montségur.
Celui-ci appartient au clan aristocratique des Péreille, encore insoumis et bons croyants. Depuis les maisons religieuses de Montségur, missions de prédication et de *consolaments** clandestins irriguent régulièrement, malgré les périls, le plat pays quadrillé par l'Inquisition.

Le pôle de la résistance militaire

Enclave de suzeraineté toulousaine aux limites du comté de Foix, la place forte de Montségur abrite également une chevalerie d'une dizaine de *faydits**, avec dames et suivantes, ainsi qu'une garnison d'une cinquantaine d'hommes d'armes, qui prêteront main forte à toutes actions de résistance. Le chef militaire en est Pierre Roger de Mirepoix, gendre de Raimond de Péreille. Tous sont bons croyants, liés de cœur et de sang à l'Église cathare.

La dernière guerre du comte

Tentant de briser le caractère inéluctable du traité de Meaux-Paris, Raimond VII de Toulouse gagne contre la royauté française l'alliance du roi d'Angleterre et du comte de la Marche (actuel département de la Creuse). En mai 1242, comme signal de soulèvement pour le pays, il charge la chevalerie de Montségur d'une opération punitive contre le tribunal d'Inquisition stationnant à Avignonet en Lauragais. Les inquisiteurs sont exécutés, leurs registres déchirés et la population prend les armes dans l'enthousiasme. Mais la défaite des alliés du comte le contraint à demander la paix. Montségur demeure seul, désigné à la vengeance du pape et de la royauté, pour lesquels il s'agit désormais de « *décapiter l'hydre* » (selon l'expression de Blanche de Castille, régente de France).

Le bûcher de Montségur

Au terme de près d'un an d'un siège très dur, Pierre Roger de Mirepoix négocie la reddition du *castrum* avec le sénéchal royal de Carcassonne, qui dirige cette dernière croisade. Le 16 mars 1244, les communautés de Bons Hommes et de Bonnes Femmes de Montségur – environ deux cents religieux – auxquelles se sont joints une vingtaine de laïcs par un *consolament** du dernier jour, sont brûlées autour de leurs évêques.
Le bûcher de Montségur marque la fin des Églises cathares occitanes organisées, et celle des espoirs du comte de Toulouse, qui n'a pu secourir la place.

Avec le bastion insoumis de Montségur et sa chevalerie *faydite*, le comte de Toulouse joue sa dernière carte contre le pape et le roi. Le bûcher du 16 mars 1244 consume ses derniers espoirs politiques tout en emportant ce qui reste de la hiérarchie cathare occitane.

Languedoc royal

Les remparts de Carcassonne, comme les châteaux dits « cathares », sont loin de symboliser un printemps occitan et hérétique. Ils sont le sceau que le pouvoir royal triomphant appose à la fin du XIIIe siècle à ses nouvelles terres du sud.

Carcassonne et ses fils

Dès 1230, les vicomtés Trencavel étant devenues sénéchaussées françaises, la royauté entame les énormes travaux de fortification devant faire de Carcassonne la base militaire de ses marches du sud, à la frontière du royaume d'Aragon. Toute une série de places fortes, les « fils de Carcassonne », « *véritable ligne Maginot du XIIIe siècle* » (selon l'expression de l'historien Michel Roquebert), prolongent au loin ses défenses. De Cabaret à Puilaurens, elles portent la griffe bien marquée des architectes royaux.

Des femmes dévouées
Les Bonnes Femmes sont aussi nombreuses que les Bons Hommes du temps de la paix et même dans la première clandestinité cathare, encore relativement organisée jusque vers 1240. Mais elles disparaissent peu à peu, après la chute de Montségur en 1244 et l'élimination de la hiérarchie cathare. Elles seront relayées par le dévouement des croyantes, dans les réseaux de soutien aux derniers pasteurs traqués.

L'héritage de Toulouse

En 1249, à la mort de Raimond VII, selon les termes du traité de Meaux-Paris de 1229 (*voir* pp. 40-41), le comté de Toulouse passe aux mains de sa fille Jeanne et de son gendre Alphonse de Poitiers, frère de Louis IX. En 1271, le couple étant mort sans enfants, Toulouse est rattachée au domaine de la couronne de France, et le pouvoir capétien y installe un sénéchal. La ligne des forteresses royales est alors prolongée à l'ouest par le Montségur des Lévis (*voir* pp. 44-45) et par Roquefixade.

La traque inquisitoriale

Depuis le bûcher de Montségur, le 16 mars 1244 (*voir* pp. 44-45), la dernière clandestinité cathare a perdu toute espérance et toute structure. Des lambeaux de hiérarchie se reconstituent tant bien que mal dans l'exil de la Lombardie, mais désormais l'Église cathare, traquée par l'Inquisition, ne lutte plus que pour prolonger sa survie. Les derniers Bons Hommes, protégés parfois par des bandes de *faydits** armés, mendient leur pain à la lisière des hameaux, consolent (*voir consolament**) à grand péril dans le secret des demeures.

Dernières révoltes

Véritable police religieuse, l'Inquisition siège dans les grandes villes, cite à comparaître des villages entiers, emprisonne dans ses cachots particuliers – les Murs –, saisit les pauvres biens, brûle des cadavres. À la fin du XIIIe siècle, son autorité sans frein – dénoncée parmi d'autres dérives des ordres mendiants par les Spirituels*, une aile contestataire des Franciscains* –, est en outre compromise dans des affaires de corruption. Contre ses exactions, les populations cherchent la protection des officiers royaux, font appel à Philippe le Bel.

À Carcassonne, en 1300, la révolte populaire est soutenue par le franciscain Bernard Délicieux. Mais le pouvoir royal, un temps hésitant, se fait répressif et cette « rage carcassonnaise » s'achève, comme la révolte simultanée de Limoux, sur des alignements de pendus.

***Ci-dessous*: les remparts entourant la cité médiévale de Carcassonne.**

Après les vicomtés Trencavel en 1229, le comté de Toulouse devient en 1271 sénéchaussée royale française, tandis que les révoltes populaires sont réprimées et que les derniers Bons Hommes errants sont durement traqués par l'Inquisition.

La dernière Église occitane

À la fin du XIIIe siècle, après vingt ans de guerre, deux changements de pouvoir et trois générations de traque inquisitoriale, on peut croire le catharisme moribond en Occitanie. Ses braises ne demandent pourtant qu'un souffle pour se réanimer.

Des sources sûres...
On connaît dans ses détails pathétiques la tragique aventure du dernier catharisme occitan par des documents de premier ordre : le registre des sentences de Bernard Gui (1307-1321) et, surtout, le registre des interrogatoires de Jacques Fournier (1318-1325), publié et traduit par l'historien Jean Duvernoy.

Le souffle de Pierre Authié

Telle est la vocation de Pierre Authié. Cet ancien notaire d'Ax-les-Thermes, familier du comte Roger Bernard de Foix, prend, à partir de 1299, la tête d'une petite équipe de Bons Hommes, bien décidés à réinsuffler l'évangélisme cathare dans ses anciens repaires. Parmi eux, Guilhem Authié, le propre frère de Pierre, ainsi que son fils Jacques. Et ils ont bien failli réussir... Superposant le maillage de leurs relations familiales aux vieux réseaux de la clandestinité hérétique*, ils parviennent, durant plusieurs années, à déjouer la traque inquisitoriale et à réanimer la braise cathare, du bas Quercy aux Pyrénées, parmi des populations croyantes encore nombreuses.

Authié, la foi à vif
Pierre Authié est brûlé le 9 avril 1310 devant la cathédrale Saint-Étienne de Toulouse. Sur le bûcher – à ce qu'ont rapporté des témoins –, il déclara que, si on le laissait encore prêcher la foule, il la convertirait tout entière à sa foi !

Les nouveaux inquisiteurs

Mais l'institution inquisitoriale, un temps contestée et déstabilisée (*voir* pp. 46-47), a été vigoureusement reprise en mains : en face d'eux, les Bons Hommes trouvent des personnages rigoureux et implacables, Bernard Gui à Toulouse, Geoffroy d'Ablis à Carcassonne, et bientôt Jacques Fournier à Pamiers.

Ces nouveaux inquisiteurs déploient des méthodes d'enquête sans faille, multipliant espions et mouchards, terrorisant les sympathisants par des bûchers de croyants relaps (hérétiques retombés dans leur faute) et de cadavres.

La dernière traque

De 1300 à 1310, la course est désespérée. L'avenir de la folle reconquête cathare dépend de sa capacité à multiplier rapidement le nombre de pasteurs clandestins. Mais le combat est inégal. L'Inquisition rattrape et fait brûler, l'un après l'autre, tous les Bons Hommes de l'ombre. Jacques et Guilhem Authié sont brûlés à Carcassonne en 1309. Amiel de Perles et Pierre Authié en 1310 à Toulouse. Seul s'échappe Guilhem Bélibaste (*ci-dessus*), en Catalogne. Vendu par un agent double, il est ramené et brûlé en 1321 à Villerouge-Termenès sur ordre de l'archevêque de Narbonne. C'est la fin des Églises cathares occitanes.

Il y a deux Églises

Pierre Authié et ses compagnons prêchent l'Évangile d'une manière plus argumentée encore que leurs prédécesseurs. Cruellement pourchassés, ils s'assimilent au Christ et à ses Apôtres, que le monde a persécutés avant eux, et dénoncent comme maligne et faussement chrétienne l'Église romaine persécutrice. Paraphrasant les hérétiques rhénans de 1143 (*voir* pp. 18-19), Pierre Authié déclare ainsi : « *Il y a deux Églises, l'une fuit et pardonne, l'autre possède et écorche.* » Chacun comprend quelle est l'Église du Christ, et quelle est celle de ce bas-monde.

Durant dix ans, de 1300 à 1310, une petite équipe de Bons Hommes décidés, réunis autour de Pierre Authié, tentent avec un certain succès de réimplanter une Église cathare entre Pyrénées et bas Quercy. Mais l'Inquisition ne leur laisse aucune chance : tous sont pris et brûlés.

Les bogomiles et l'invasion turque

À la fin du XIIIe siècle, les derniers Bons Hommes occitans vont rechercher enseignement et ordination auprès des Églises survivantes en Italie. Au XIVe, les derniers cathares italiens tentent de passer la mer vers la Bosnie heureuse.

Page de droite : miniature du XVIe siècle représentant le concile contre les Strigolnizi – bogomiles du monde slave – en 1490 à Novgorod (Russie). Après l'invasion turque, l'Église bogomile s'est en effet réfugiée vers ces terres du Nord.

De Champagne en Rhénanie

Dans l'Europe du Nord, le catharisme, très présent au XIIe siècle, reste toujours clandestin, perpétuellement persécuté.

Il est probablement déraciné dès le milieu du XIIIe siècle. À partir de 1229, les missions pré-inquisitoriales de Robert le Bougre en France et de Conrad de Marbourg en Germanie se signalent en effet par leur cruelle et sanglante efficacité.

En 1239, au château comtal du Mont Aîmé, en Champagne, brûlent deux cent trente cathares de l'Église de France.

En héritage du christianisme bosniaque
On a conservé du christianisme bosniaque un fragment de rituel de la fin du XIIe siècle, comparable aux rituels cathares et bogomiles.
On a gardé également les stèles funéraires de plusieurs dignitaires de cette étrange Église, indépendante à la fois du pape de Rome et du patriarche de Constantinople.

Patarins, gibelins et Inquisition italienne

En Italie, par contre, la répression connaît un retard d'environ une génération par rapport à la situation occitane.

Effectivement, au sein des cités italiennes, les cathares ou patarins – proches des gibelins, partisans de l'empereur Frédéric contre les guelfes, partisans du pape – sont protégés par un rapport de forces qui leur est favorable jusqu'à la victoire des guelfes et du capétien Charles d'Anjou (1268).

L'Inquisition a dès lors les mains libres pour agir. Alors qu'en 1245 Florence claque encore ses portes au nez des inquisiteurs, en 1278, aux arènes de Vérone, les communautés cathares de Concorezzo et de Desenzano disparaissent unies dans le même bûcher.

Les chrétiens bosniaques

Un embryon d'Église occitane en exil peut cependant survivre en Italie jusque dans les premières années du XIVe siècle. C'est auprès d'elle que Pierre et Guilhem Authié (*voir* pp. 48-49) reçoivent leur enseignement. Les derniers cathares italiens, repérables jusqu'au début du XVe siècle parmi de nouveaux mouvements de contestation – Spirituels* ou Apostoliques* – vont se ressourcer dans le royaume de Bosnie où l'hérésie* n'a jamais été persécutée. Connus sous le nom de Chrétiens bosniaques, les hérétiques y figurent au contraire une sorte d'Église nationale, avec ses dignitaires et ses maisons religieuses. Proche du pouvoir royal, cohabitant avec les missions catholiques franciscaines* et avec l'Église serbe orthodoxe*, l'Église bosniaque ne s'est jamais faite persécutrice.

L'invasion turque

La conquête turque a eu raison du royaume bulgare à la fin du XIVe siècle.

Après la prise de Constantinople en 1453, c'est au tour de la Bosnie d'être envahie en 1463. Du coup, bogomiles* grecs ou slaves et chrétiens bosniaques s'engloutissent dans l'Islam conquérant. On peut dire que le catharisme disparaît de l'Histoire à l'exacte fin du Moyen Âge.

Extirpé d'Europe du Nord par la violence au XIIIe siècle, le catharisme survit en Italie jusqu'à la fin du XIVe et ne disparaît de Bulgarie, de Bosnie et de Grèce que noyé sous l'invasion turque, après la prise de Constantinople en 1453.

L'Église abattue

Le jour où brûle le dernier Bon Homme, même si la foi reste vive au cœur d'une certaine population de croyants, l'Église cathare est morte. Nul ne pourra plus, en son nom, prétendre détenir et transmettre la tradition des Apôtres.

Une structure vulnérable

Simple mouvement de contestation religieuse à vocation spontanée, le catharisme aurait peut-être survécu à la clandestinité et à la traque. Église constituée avec sa hiérarchie, son enseignement, ses novices et son ordination, elle ne pouvait renouveler ses effectifs au rythme effréné de la chasse à l'homme. Il suffit à l'Inquisition, méthodiquement, de capturer et supprimer chacun de ses pasteurs. Le jour où le dernier brûla, l'Église était morte.

Une religiosité archaïque

Il est permis de supposer que, même non persécuté, le catharisme aurait tôt ou tard vu retomber sa dynamique, faute de pouvoir régénérer en profondeur sa religiosité très spiritualiste dans un monde en mouvement. Désormais, la mystique franciscaine* avait orienté les ferveurs vers le personnage humain et souffrant de Jésus. Religiosité romane centrée sur le Saint-Esprit et négligeant la personne humaine du Fils, le catharisme perdait donc vigueur dans le monde gothique du Christ en croix et des processions de flagellants.

Le temps de la normalisation

Dans le même temps, l'orthodoxie* militante avait pris les moyens d'éliminer concrètement l'hérésie*.

Elle poursuivait sa logique en codifiant dogmes et méthodes de pensée, comprimant le Moyen Âge occidental dans le thomisme* et la scolastique*, d'où allait exploser la Réforme protestante. La société des trois ordres (*voir* pp. 12-13) était maintenant ordonnée pour longtemps en trois états, tant que Dieu serait aux côtés des royautés européennes pour faire régner l'ordre, c'est-à-dire jusqu'au siècle des Lumières* et à la Révolution française.

Aujourd'hui, le catharisme paraît bien étrange, bien exotique.

Au XIIe siècle, il était une religiosité de son temps, proche parente de la religiosité catholique. Culture et mentalités ont évolué. Lui est demeuré immobile, du fond du Moyen Âge où on le condamna à un arrêt brutal.

Église plutôt que secte
Le catharisme était Église, non société initiatique. S'il avait survécu, dans la clandestinité, aux persécutions médiévales, il serait réapparu pour faire entendre sa voix dans les périodes de tolérance, à la faveur de la Réforme protestante ou de la Révolution. Il n'en fut rien. Seules quelques sectes revendiquent aujourd'hui, de manière absurde, son héritage.

La leçon du catharisme

Tout n'est pourtant pas archaïsme dans ce christianisme médiéval. Chacun, croyant ou pas, peut méditer sur son choix de la toute bonté de Dieu, sur son optimisme fondamental quant à la nature de l'homme, qu'il s'agit de libérer du mal pour lui faire prendre conscience qu'elle est bonne. Son refus apostolique* de toute violence individuelle comme de toute compromission avec la violence institutionalisée de ce monde le mettait à l'abri de toute tentation de totalitarisme religieux : exemple à suivre.

Évangélique et non coercitive avant François d'Assise (*voir* pp. 38-39), l'Église cathare fut sans doute éliminée pour s'être placée en travers de la route de la papauté, au temps où celle-ci édifiait son pouvoir théocratique.

Extirpé de façon méthodique par l'Inquisition, le catharisme est victime de sa structure rigide d'Église, peu propice à la survie clandestine. Le renouvellement des spiritualités et la codification de l'orthodoxie achèvent de confiner son souvenir.

Récupérations

Aujourd'hui, touristes et curieux travestissent allègrement les Bons Hommes en architectes mystérieux, en Templiers gardiens du Graal, voire en médecins homéopathes. Tandis que le « pays cathare » touristique est réputé peuplé d'une ethnie contestataire...

Entre fiction et poésie
C'est au pasteur Napoléon Peyrat, poète protestant, auteur d'une lyrique *Histoire des albigeois* (1870) qu'on doit, entre autres, l'invention des thèmes de Montségur (temple et nécropole souterraine) et d'Esclarmonde (superposition de plusieurs personnages historiques portant le même prénom), qui devaient être promis à un bel avenir poétique.

Un naufrage programmé

Au moment où le catharisme disparaît dans le feu, l'Église romaine a inscrit son diagnostic dans ses grands livres ; le mal incurable dont souffrent les hérétiques est un néo-manichéisme* aggravé de docétisme*. En bref, parce qu'ils sont dualistes et qu'ils refusent l'eucharistie*, les cathares doivent être éliminés. Leur souvenir est marqué du sceau de l'opprobre. De l'Inquisition demeure peut-être seulement, au fond de quelques consciences villageoises en Occitanie, un ferment d'anticléricalisme.

Romanistes et félibres
Le XIXe siècle redécouvre l'œuvre lyrique des troubadours (XIIe- XIIIe siècles) grâce aux travaux des romanistes, c'est-à-dire des spécialistes de la langue d'oc médiévale, pour la plupart des savants allemands. Parallèlement, le poète Frédéric Mistral lance le mouvement littéraire des félibres, qui appelle à la véritable renaissance d'une langue et d'une culture définies alors comme « provençales ». Au XXe siècle, l'occitanisme prendra le relais.

Protestants et catholiques

Au XVIe siècle, la Réforme en Languedoc germe en effet dans bien des lieux que le catharisme a anciennement ensemencés. Les premiers historiographes protestants élèvent parfois les albigeois au rang de leurs grands ancêtres. Mais les érudits catholiques, comme Bossuet (1627-1704) au XVIIe siècle, reprennent les thèses des théologiens dominicains* médiévaux et, à nouveau, enferment les cathares dans leur supposé néo-manichéisme.

Occitanistes

Au XIXe siècle, le débat se complique avec le réveil de conscience du Midi. Romanistes et félibres (*voir* encadré)

Chaque année, rassemblés sur les hauteurs du pog de Montségur, lors du solstice d'été, les adeptes d'une secte reçoivent le sacrement du *consolament**.

redécouvrent dans l'enthousiasme l'âge d'or occitan du temps des troubadours, et le catharisme est parfois assimilé à une religiosité proprement méridionale. Les poètes occitans le chantent dans la passion de la « grande patrie romane », mais une dérive récente introduit l'idée que les troubadours étaient en fait des agents secrets de l'Église cathare, cachée sous le pseudonyme de la Dame...

Ésotéristes

Depuis la fin du XIXe siècle, des ésotéristes modernes se sont emparés du souvenir cathare, afin de le récupérer pour leur chapelle : rose-croix, néo-gnostiques, néo-manichéens, néo-pythagoriciens ou néo-templiers ont ainsi tour à tour spéculé sur la méconnaissance historique du catharisme. De nos jours, les thèmes ont été tant vulgarisés que l'on peine à y discerner la pire des empreintes : celle du nazisme. Introduite par l'écrivain allemand Otto Rahn en 1933, cette mystification déguise les cathares en bons aryens adorateurs d'un graal solaire, et la croisade contre les albigeois (*voir* pp. 40-41) en « croisade contre le Graal ».

Prisonnier des schémas médiévaux qui l'avaient condamné, le souvenir du catharisme fut parfois récupéré, au cours des siècles, pour soutenir une cause – protestantisme ou occitanisme. Aujourd'hui, sectes et mouvements ésotériques sont parvenus à échafauder « l'édifice d'un catharisme imaginaire ».

Le regard de l'Histoire

L'Histoire s'élabore à partir de documents. Il faut attendre le milieu du XXe siècle et la découverte de textes d'origine cathare, pour que l'histoire critique du catharisme émerge enfin de la polémique théologienne.

La filiation manichéenne*

La première base de travail concernant l'hérésie* médiévale repose sur les traités de sa réfutation. À partir des véritables sommes antihérétiques rédigées par les théologiens du XIIIe siècle – dominicains* et inquisiteurs – les premiers chercheurs, souvent eux-mêmes théologiens catholiques, veulent trouver les racines du dualisme* cathare dans une filiation orientale reliant Manès (*voir* pp. 4-5) à Zoroastre*, et les cathares à Manès par pauliciens* et bogomiles*. Vers 1950, la question semble réglée pour les théologiens.

La mémoire de l'Inquisition

Pourtant, l'exploitation de la mine des documents inquisitoriaux commence à entrouvrir des perspectives sur la société cathare médiévale : l'hérésie y perd son caractère d'exotisme, et ses croyants s'y montrent des chrétiens assez ordinaires. Dans les années cinquante, les médiévistes posent la question de l'hérésie en termes de problème social autant que religieux.
En même temps, l'Histoire critique – notamment en Italie et en Allemagne – tend à rendre le catharisme à son contexte médiéval et simplement chrétien.

Les livres cathares

La découverte et la progressive prise en compte de cinq manuscrits d'origine cathare (*voir* ci-contre), dans la seconde moitié du XXe siècle, vient à point pour contrebalancer et compléter l'information d'origine catholique. Traités et rituels cathares font en effet la démonstration d'une culture chrétienne évangélique de caractère savant. Ainsi, on dispose aujourd'hui d'une somme de documentation riche et diversifiée, susceptible de servir de support à des travaux historiques de qualité, sur le plan de la sociologie aussi bien que sur celui de la religiosité hérétique.

Découverte de manuscrits cathares
C'est au sein de bibliothèques religieuses que l'on a retrouvé au XXe siècle, à Paris, Florence et Prague, cinq manuscrits cathares : ils y ont été conservés comme dossiers de documentation, utilisés au XIIIe siècle par les auteurs dominicains de sommes anticathares. Ceux-ci travaillaient en effet soigneusement, afin de proposer une réfutation de l'hérésie qui soit crédible et efficace.

Poésie et commerce

Actuellement, si l'Université française a gardé quelque réticence à étudier le catharisme – longtemps considéré comme tabou du fait des délires et récupérations qui semaient la suspicion sur quiconque faisait mine de s'y intéresser – la recherche médiévale commence à l'aborder, un peu partout dans le monde. Ce qui n'empêche pas le petit commerce de la catharophilie de continuer à peupler boutiques et librairies de plaquettes et d'objets de pacotille, parmi lesquels éclosent parfois de vraies fleurs de poésie. Après tant de rejets et de récupérations sordides, les Bons Hommes méritent bien quelque humaine sympathie. Ils méritent surtout qu'on les rende à eux-mêmes.

Les premiers chercheurs en catharisme sont en général des théologiens catholiques, travaillant sur des documents médiévaux anticathares. Dans la seconde moitié du XXe siècle, une Histoire critique et laïque de cette hérésie commence à voir le jour, sur la base des archives de l'Inquisition et de textes d'origine cathare.

Glossaire

Apostolique : qui se réfère aux Apôtres du Christ. Par extension, mouvement de contestation religieuse réprimé en Italie au début du XIVe siècle.

Apocalypse : dernier livre du Nouveau Testament, attribué à l'évangéliste Jean.

Apocryphe : se dit d'un livre de la Bible non reconnu par les autorités ecclésiastiques.

Apostolicité : filiation chrétienne par rapport à l'Église du temps des Apôtres.

Arianisme : doctrine soutenue au IVe siècle par l'évêque Arius. Elle conteste le fait qu'au sein de la Trinité* le Fils soit coéternel au Père et de la même substance divine que lui. C'est sans doute la conversion de Clovis au catholicisme en 496 qui a assuré la victoire finale du dogme trinitaire romain en Occident.

Bénédictins : moines suivant la règle de saint Benoît (VIe siècle), l'une des plus anciennes règles monastiques occidentales. Les clunisiens sont des bénédictins réformés.

Bogomiles : hérétiques de la chrétienté grecque, en tous points semblables aux cathares.

Bulle : on appelle ainsi les ordonnances émanant des papes, car elles sont authentifiées d'un sceau de métal (argent ou or).

Castrum : mot de latin médiéval employé dans le sud de l'Europe pour désigner la bourgade fortifiée enroulée autour d'une tour féodale.

Cisterciens : moines de l'ordre de Cîteaux, fondé en 1098 par Robert de Molesme.

Concile : assemblée d'évêques et de Pères de l'Église réunie pour délibérer à propos de points de doctrine chrétienne.

Consolament : mot occitan signifiant consolation, en référence à l'Esprit consolateur de la Pentecôte (descente de l'Esprit sur les Apôtres). Baptême de l'Esprit par imposition des mains pratiqué par le clergé cathare.

Credo : ensemble des propositions de foi et de doctrine exigées de tout chrétien par les autorités religieuses.

Diacre : dans l'Église catholique, ordre mineur, dernier degré avant la prêtrise. Dans l'Église cathare comme dans l'Église primitive, membre de la hiérarchie ecclésiastique.

Docétisme : conception purement spirituelle de la nature du Christ, niant la réalité de son corps physique.

Dominicains : religieux de l'ordre mendiant des frères prêcheurs fondé par Dominique et muni de constitutions en 1216.

Dualisme : conception d'un antagonisme entre deux extrêmes, bien et mal, esprit et matière, etc.

Eucharistie : sacrement essentiel du catholicisme ou sacrifice de l'autel par lequel le prêtre transforme le pain et le vin en corps et sang réels du Christ.

Faydit : seigneur occitan dépossédé par la croisade contre les albigeois.

Franciscains : religieux de l'ordre mendiant des frères mineurs, issu de la Fraternité de son fondateur, François d'Assise, après la mort de ce dernier en 1226.

Genèse : premier livre de l'Ancien Testament, comportant les récits de la création par Jéhova/Yaveh.

Hérésie : au sens étymologique, ce terme signifie choix. Accusation portée contre ceux des chrétiens qui refusaient de reconnaître l'ensemble des textes du Nouveau Testament, en opérant parmi eux un choix limitatif. Par extension, lorsque l'Église des Pères et des conciles* définit des dogmes, elle appela « hérésies » les options religieuses qu'elle jugea divergentes.

Lumières : mouvement philosophique du XVIIIe siècle, caractérisé par la croyance au progrès humain, par la foi dans la raison, la défiance à l'égard de la religion et de la tradition. L'*Encyclopédie* de Diderot et de d'Alembert est l'œuvre de la philosophie des Lumières.

Manichéen/manichéisme : religion fondée par le Perse Manès (vers 216 - vers 277). Par extension, désigne au Moyen Âge toute hérésie caractérisée et, au XXe siècle, tout jugement de valeur sans nuance.

Néo-manichéisme : accusation médiévale de reproduire l'ancienne hérésie manichéenne.

Orthodoxie : définition d'un corps de doctrine comme intangible et seul légitime, par rapport à des déviances hérétiques*. Désigne également l'Église chrétienne grecque, indépendante de Rome depuis 1053.

Pauliciens : peuple guerrier soumis par Byzance au IXe siècle et dirigé par des rois-prêtres. Leur christianisme aurait été non-conformiste.

Pères de l'Église : aux IIIe et IVe siècles, il s'agit des évêques et docteurs de la foi ayant contribué à élaborer les dogmes de l'Église, notamment par leurs conciles*. L'étude de leurs textes constitue la Patristique. Parmi les Pères latins : Jérôme ou Augustin ; parmi les Grecs : Athanase ou Clément d'Alexandrie.

Scolastique : méthode de raisonnement pré-scientifique élaborée au XIIe siècle et généralisée à partir du XIIIe dans l'enseignement théologique occidental, notamment après la redécouverte d'Aristote grâce aux Arabes. Stimulée par les universitaires dominicains*, elle commence pourtant à se scléroser au XIVe siècle dans la paraphrase de réponses toutes prêtes.

Spirituels : aile contestataire des Franciscains réclamant, dès le milieu du XIIIe siècle, un retour aux idéaux de saint François. Ils furent réprimés et brûlés au début du XIVe siècle.

Théocratie : principe de gouvernement à fondement religieux. En ce sens, l'empire de Charlemagne fut théocratique. De Grégoire VII à Innocent III, la papauté développa le thème d'une théocratie pontificale, selon laquelle la chrétienté « *devait s'organiser en une sorte de monarchie dont Dieu, au ciel, serait le souverain suprême et dont le pape, sur terre, serait le vicaire, le lieutenant, le vice-roi* ». (Jean Flori, médiéviste français contemporain).

Thomisme : systématisation religieuse, au moyen de l'outil de la scolastique*, des acquis de la dogmatique catholique, développée dans sa *Somme théologique* (1266-1273) par le savant dominicain Thomas d'Aquin. Le thomisme, tentant d'épauler la foi par le raisonnement, marqua une étape importante dans l'évolution du catholicisme médiéval.

Trinité : conception de la divinité en trois personnes : le Père, le Fils, le Saint-Esprit. Base de la théologie chrétienne.

Vaudois (ou pauvres de Lyon) : mouvement de réforme religieuse, évangélique et pauvre, fondé par Vaudès de Lyon, à la fin du XIIe siècle. Il est progressivement rejeté dans l'hérésie par l'attitude intransigeante de la papauté. Répandus dans toute l'Europe à la fin du XIIIe siècle, les vaudois se fondent ensuite, à partir de 1532, dans le protestantisme.

Zoroastre (ou Zarathoustra, 625-551 av. J.-C.) : réformateur du mazdéisme, la vieille religion perse. Le zoroastrisme, qui met l'accent sur la transcendance divine et le triomphe final de la justice, constitue au IIIe siècle l'un des éléments de base du manichéisme*.

Bibliographie

Pour commencer

BRENON (Anne), *Les Cathares, Pauvres du Christ ou Apôtres de Satan ?*, « Découvertes », Gallimard, 1997.
Court et superbement illustré.

Petit Précis de catharisme, Loubatières, 1996.
Synthèse pédagogique et réflexion personnelle.

ROUQUETTE (Yves), *Cathares !*, Loubatières, 1991.
Coup de cœur et coup de gueule.

Pour approfondir

BERLIOZ (Jacques), *Tuez-les tous, Dieu reconnaîtra les siens*, Loubatières, 1994. Plaisant autant qu'érudit. Cette exclamation de l'abbé de Cîteaux à Béziers est probablement authentique.

BRENON (Anne), *Le Vrai Visage du catharisme*, Loubatières, 1989, rééd.
Manuel dense, complet et joliment illustré. Prix Notre Histoire en 1990.
Les Cathares, vie et mort d'une Église chrétienne, « Ouverture », édition Jacques Grancher, 1996.
Synthèse des connaissances actuelles. Privilégie l'aspect religieux.
Les Femmes cathares, Perrin, 1992, rééd.
Une plongée dans le vécu des familles cathares occitanes.

DUVERNOY (Jean), *Les Cathares*. Tome 1 : *La Religion* ; tome 2 : *L'Histoire*. Privat, 1978, rééd.
Une véritable somme, qui marqua un tournant dans les études cathares. Demeure l'ouvrage de référence.

LE ROY LADURIE (Emmanuel), *Montaillou, village occitan*, Gallimard, 1976.
À partir du registre de l'inquisiteur Jacques Fournier, pittoresque ethnologie du dernier catharisme en ses repaires pyrénéens.

MOORE (Robert), *La Persécution, sa formation en Europe (950-1250)*, Les Belles Lettres, 1991.
Le seul ouvrage traduit en français du grand médiéviste anglais. Point de vue d'histoire critique sur la définition des hérétiques parmi les autres exclus de la chrétienté médiévale (juifs, lépreux...).

NELLI (René), *Écritures cathares*, Le Rocher, 1995.
Nouvelle édition actualisée et augmentée par Anne Brenon.
L'ensemble des textes cathares traduits et commentés. Base indispensable.
La Philosophie du catharisme, rééd. Privat, 1988.
Réflexion érudite et critique sur le *Livre des deux principes* de Jean de Lugio, évêque et scolasticien cathare italien.

NELLI (Suzanne), *Montségur, Mythe et Histoire*, Le Rocher, 1996.
Ouvrage de claire démythification.

ROQUEBERT (Michel), *L'Épopée cathare*, 4 vol., Privat, 1970-1989.
Les Cathares, de la chute de Montségur aux derniers bûchers, 5e vol., Perrin, 1998.
L'encyclopédie pédagogique de la croisade et du rattachement du Languedoc à la couronne de France.

Publications collectives

Heresis, revue internationale d'hérésiologie médiévale, Centre d'études cathares, depuis 1983 (28 numéros parus en 1998).
L'organe de la recherche scientifique sur le catharisme.

Montségur, la mémoire et la rumeur (1244-1994). Actes du colloque de Foix. Archives départementales de l'Ariège, 1995.
Le point des connaissances actuelles sur Montségur. Passionnant.

Mouvements dissidents et novateurs, sous la direction d'André Vauchez.
Actes de la deuxième session du Centre d'études cathares, coll. *Heresis*, 1990.
Éclaire sur la place du catharisme dans le contexte de la contestation religieuse médiévale.

Persécution du catharisme (la), sous la direction de Robert Moore, Actes de la sixième session du Centre d'études cathares, coll. *Heresis*, 1996.
Somme de contributions apportant un relief nouveau aux causes et conditions de l'élimination de l'hérésie cathare par l'Église médiévale.

Catharisme, l'édifice imaginaire, sous la direction de Jacques Berlioz et de Jean-Claude Hélas, Actes de la septième session du Centre d'études cathares, coll. *Heresis*, 1998. Remonte avec humour et érudition les différentes pistes de la spéculation contemporaine sur le catharisme.

Adresses utiles

Centre d'études cathares/Centre René-Nelli. Maison des Mémoires,
53, rue de Verdun, 11000 Carcassonne.
Tél. : 04 68 47 24 66. Fax : 04 68 72 77 55.
Ouvert au public du lundi au vendredi, de 9 h à 17 h.
Bibliothèque spécialisée de libre accès. Centre de documentation.

Index *Le numéro de renvoi correspond à la double page.*

Le «pays cathare» occitan

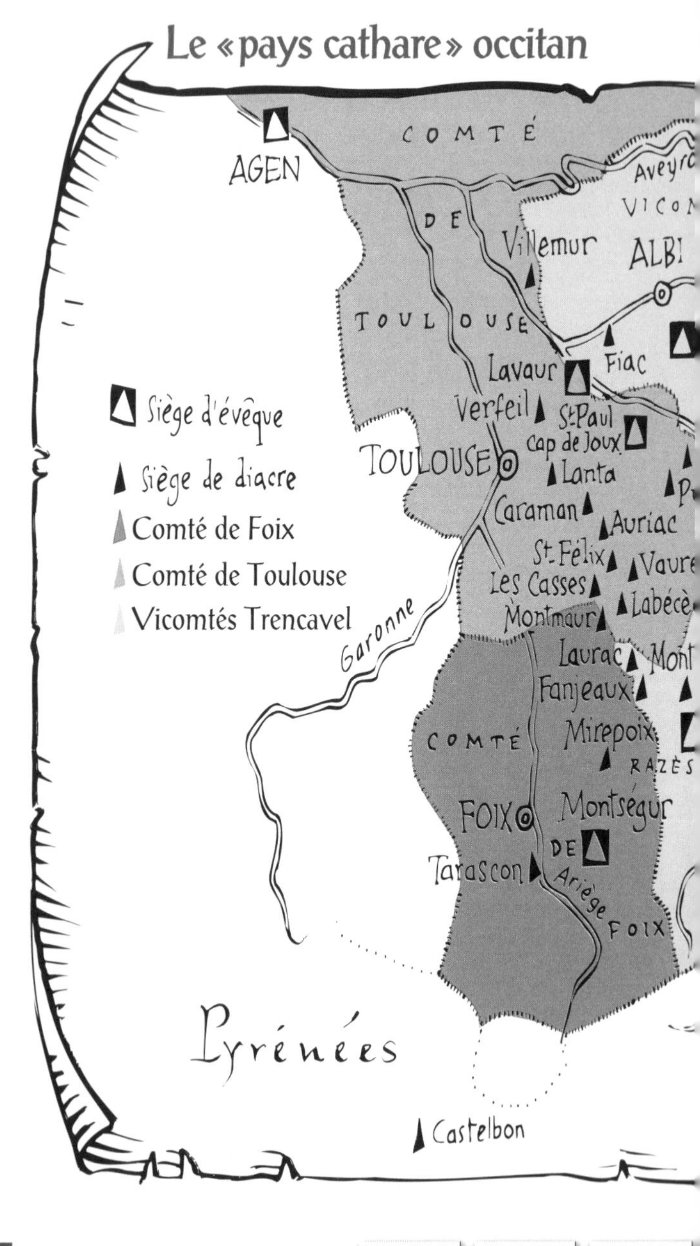

(fin XIIe – première moitié du XIIIe siècle)

Tarn
Lombers
Lautrec
Agout
DE
Orb
Hérault
MONTPELLIER
Vielmur
TRENCAVEL
BEZIERS
Cabaretz
MINERVOIS
Minerve
Aragon
CABARDÈS
Aude
NARBONNE
CARCASSONNE
CARCASSÈS
Limoux
CORBIÈRES
Quéribus
mer méditerranée
Puilaurens
Têt
PERPIGNAN
Tech

Dans la collection
Les Dicos Essentiels Milan

Dans la collection
Les Essentiels Milan

Responsable éditorial
Bernard Garaude
Directeur de collection – Édition
Dominique Auzel
Secrétariat d'édition
Véronique Sucère
Correction – révision
Didier Dalem
Iconographie
Sandrine Batlle
Conception graphique
Bruno Douin
Maquette
Isocèle
Illustrations
Jean-Claude Pertuzé
Fabrication
Isabelle Gaudon
Marie-Line Danglades

Crédit photos
Un grand merci à Jean-Louis Gasc et au Centre d'études cathares.

Aubin Imprimeur, 86240 Ligugé. — D.L. août 1998. — Impr. P 56662